Le sexe

Collection
Quintescience

dirigée par Laurent Mayet et Olivier Néron de Surgy

La collection Quintescience propose une mise en parallèle, en synergie ou en contradiction, des données empiriques de la science et des concepts issus des sciences humaines.

A paraître :

L'infini
Comment les animaux voient le monde
Le rire
Science et mythes

Le sexe

SCIENCES
AVENIR

MAISONNEUVE ET LAROSE

Catalogage Electre-Bibliographie
    Le sexe. – Paris : Maisonneuve et Larose, 1999. – (Quintescience)
    ISBN 2-7068-1410-1
    RAMEAU :   sexualité (biologie)
                         sexualité (psychologie)
    DEWEY :   155.3 : Psychologie différentielle et génétique.
                         Psychologie de la sexualité
    Public concerné :   Public motivé

Sommaire

Les textes de cet ouvrage ont été publiés dans le hors-série n°110 de la revue « Sciences et Avenir ».

Introduction

PAR OLIVIER NÉRON DE SURGY

■

Chacun apprend à l'école qu'exceptées les espèces hermaphrodites telles que l'escargot, hommes et animaux se répartissent suivant les catégories mâle et femelle, et que l'appartenance à l'une ou l'autre de ces catégories dépend d'un tirage aléatoire entre deux types de chromosomes sexuels. Mais, de fait, être mâle ou femelle, ce n'est pas seulement posséder les attributs physiologiques du sexe correspondant, c'est aussi se comporter en tant que mâle ou femelle, en particulier pour s'accoupler avec un partenaire de sexe opposé afin de procréer. La sexualité est donc l'objet de différents champs scientifiques : la génétique étudie les déterminants moléculaires des caractères sexuels physiologiques, la biologie s'intéresse aux causes, aux effets et à l'évolution des phénomènes liés à l'accouplement et à la procréation, tandis que l'anthropologie tente de comprendre les comportements sexuels d'ordre socioculturel.

S'il s'avère que de nombreuses énigmes persistent dans chacun de ces domaines, on peut être davantage troublé par les contradictions existant entre le sens commun, les données de la biologie et les concepts proposés par les sciences humaines.

L'un de ces concepts est le genre sexuel, qui exprime un positionnement typique dans les relations concernant la présentation de son corps, la séduction, la vie maritale et familiale, etc. Il faut bien admettre que si toutes les sociétés reconnaissent une dualité fondamentale entre féminité et masculinité et fondent leur organisation sur elle, ainsi que l'expose Maurice Godelier, cette dichotomie ne se superpose pas systématiquement à celle des sexes biologiques. Selon Nicole-Claude Mathieu, les sociétés occidentales modernes perçoivent la distinction des genres féminin et masculin comme fondée en Nature ou en religion, mais l'étude d'autres sociétés révèle une grande variabilité du contenu caractéristique de genre sexuel. Il existe ainsi, chez un certain nombre de tribus indiennes et amérindiennes, un troisième genre, ni homme, ni femme. L'anthropologie sociale peut donc contribuer à ne plus considérer l'homosexualité, le transsexualisme ou le transvestisme comme de simples expressions de personnalités hors normes, mais comme le fait que l'esprit et les comportements humains ne peuvent, par nature, s'assujettir à une dichotomie biologique.

Certains scientifiques ont entrepris de chercher dans les gènes ou dans les structures cérébrales, des déterminants de genres sexuels souvent qualifiés de déviants. Mais ces recherches n'ont rien donné de concluant. Il n'y a même aucune preuve de différenciation des systèmes cérébraux fonctionnels, bien que des études récentes suggèrent que les hommes ont de meilleures capacités de repérage dans l'espace, tandis que les femmes seraient plus performantes dans les associations cognitives. Ces hypothèses sont peut-être correctes, mais leurs fondements ne proviennent-ils pas de ce que la science elle-même continuerait de véhiculer une idéologie sexiste ? C'est, en substance, la thèse d'Hélène Rouch pour laquelle l'identité féminine est traditionnellement associée à un manque, comme l'absence de pénis ou de gène de virilité porté par un chromosome particulier (Y). Or les recherches récentes en génétique tendent à montrer que le développement des caractères féminins est dû à l'action d'un gène inhibiteur de la masculinisation, et chez certaines espèces animales telles que les oiseaux, les reptiles ou les poissons, ce sont les femelles qui possèdent deux chromosomes sexuels distincts.

En matière de génétique, on pourrait croire que la sexualisation est un phénomène simple et bien connu, mais il n'en est rien. Marc Fellous nous explique par exemple que chez l'Homme, la différenciation des sexes ne dépend pas que de l'identité des paires de chromosomes sexuels ; elle est aussi contrôlée par une multitude de gènes en partie inconnus qui gouvernent les processus hormonaux responsables du développement des organes génitaux internes et externes, et de la libido. C'est pourquoi il existe des femmes ayant les chromosomes sexuels X et Y, et des hommes porteurs de deux chromosomes X. Par ailleurs, les mécanismes de sélection du sexe diffèrent d'une espèce à une autre. Chez la tortue, par exemple, cette sélection dépend bien plus de la température d'incubation des œufs que de gènes spécifiques.

Une telle variété de mécanismes nous questionne sur les origines de la sexualité dans le monde du vivant. Comme le montrent Pierre-Henri Gouyon et Bernard Godelle, chez les bactéries ou autres micro-organismes dont toutes les espèces vivantes sont issues, le mélange d'ADN de deux individus et la reproduction des organismes sont des phénomènes indépendants. C'est sans doute pour minimiser les dépenses énergétiques que sexualité et procréation ont coïncidé lors de la complexification des organismes.

Si cette coïncidence concerne tous les organismes macroscopiques, l'usage de la sexualité pour la procréation n'est pas universelle. On estime qu'il y a environ cinq pour cent d'espèces parthénogénétiques, c'est-à-dire dont les œufs se développent sans avoir été fécondés. Cinq pour cent, c'est à la fois peu et beaucoup. Cela signifie, d'une part, qu'il y a toujours des lignées qui finissent par « abandonner » la sexualité (il reste à savoir pourquoi), et d'autre part, que la sexualité présente des avantages sélectifs d'autant plus importants que la parthénogénèse est un moyen de reproduction très simple et très efficace car elle dispense de chercher et de séduire un partenaire pour réaliser un accouplement dont le succès n'est même pas garanti. Or la prédominance des lignées sexuées n'est peut-être pas, comme une partie des scientifiques le pensent encore, directement liée à cette propriété fondamentale de la sexualité qu'est le brassage des gènes lors de la fécondation.

Il est néanmoins indéniable que ce brassage génétique confère aux lignées sexuées un atout majeur. Comme l'expose André Langaney, la recombinaison des gènes maternels et paternels permet non seulement de limiter la propagation de mutations génétiques défavorables, mais elle conduit aussi à d'incessantes innovations dont la diversité fournit à une espèce donnée des parades pour s'adapter aux conditions changeantes de l'environnement. Sexe et reproduction au sens propre du terme n'ont donc rien à voir. Chaque être vivant procréé par la sexualité est nouveau et unique. Selon ses principales caractéristiques zoologiques, on le cataloguera comme membre d'une certaine espèce ; cependant, vouloir tracer des frontières entre lignées sexuées pour les grouper en espèces bien définies n'a pas de sens. Voilà une précision qui ne manquera pas de discréditer certains arguments racistes.

Enfin, l'ethnologie et la zoologie achèveront de nous montrer l'ampleur de la diversité en matière de sexe. C'est ainsi qu'on pourra (re)découvrir les moyens étonnants qu'a « inventés » la nature en ce qui concerne les accouplements et les parades sexuelles, telles que l'extravagante danse nuptiale de l'albatros. Quant aux étranges mœurs érotiques de certaines tribus, elles ne manqueront pas de nous interroger sur le bien-fondé de nos préceptes moraux. ■

André Langaney

Le comptable
de l'évolution

Musée de l'Homme

" *Nous sommes les* **enfants du sexe** *et de* **la mort** "

Laurent Mayet : Que voulez-vous dire lorsque vous affirmez que l'Homme descend du sexe ?

André Langaney : Ce que je veux dire, c'est que la plupart des espèces vivantes sont le produit d'une évolution dont l'accélérateur est le sexe. La sexualité a permis la multiplication et la complexification des formes du vivant. Sans elle, la nature n'aurait jamais donné naissance à la prodigieuse diversité de la biosphère : plusieurs millions d'espèces connues ou à découvrir. Aucun organisme un tant soit peu complexe n'aurait pu voir le jour : ni la baleine, ni l'escargot, ni les humains... Nous sommes donc redevables de notre existence à cette puissance innovatrice qu'est le sexe. N'allons pas croire, pour autant, que la sexualité soit une nécessité de la vie ou de l'évolution, car bien des êtres vivants se reproduisent depuis la nuit des temps sans sexe.

L. M. : Quelle distinction faites-vous entre sexe et reproduction ?

A. L. : Si l'usage a consacré l'expression de « reproduction sexuée », il s'agit en réalité d'une monstrueuse stupidité. Se reproduire, c'est fabriquer du semblable, des copies conformes au modèle. C'est le cas des bactéries, des virus et des organismes unicellulaires qui produisent sans cesse des armées, des « clones » d'individus identiques. Prenez par exemple une bactérie qui se dédouble toutes les demi-heures. Au bout de 24 heures, elle pourra, en théorie et dans un environnement favorable et illimité, avoir produit jusqu'à 300 000 milliards de copies selon un processus très simple : un individu A se divise en deux individus A' et A'' semblables entre eux et semblables à A qui, lui, disparaît. Les deux bactéries de la première génération se divisent à leur tour et donnent quatre individus, puis huit, puis seize, etc. On trouve ainsi, dans la nature, des chaînes de vie ininterrompues depuis des milliards d'années, dont les représentants actuels sont probablement semblables à ceux des plus anciennes générations. Je dis « semblables » et non identiques car la reproduction comporte des erreurs de recopiage ou « mutations » qui donnent naissance à de nouveaux lignages. Hormis ces accidents relativement rares, qui représentent la seule source de diversification chez les êtres vivants non sexués, la reproduction fonctionne comme une machine à fabriquer du semblable.

Or, c'est précisément l'inverse qui caractérise la sexualité. Jamais la procréation sexuée ne fabrique deux fois le même être. Même un vrai jumeau, issu de la division à l'identique d'un œuf, peut différer par quelques mutations et toute l'histoire de son germain. Comme l'écrit François Jacob : « La sexualité est une machine à faire du différent. »

L. M. : D'où vient cette capacité d'innovation de la sexualité ?

A. L. : Chaque organisme doit la composante génétique de son identité à un potentiel d'informations chimiques porté par des molécules d'ADN, présentes dans le noyau des cellules, dans les bactéries ou les virus, sous la forme de longs filaments appelés chromosomes. Les unités d'information de ce potentiel sont appelées gènes. Chez les organismes sans sexe, le potentiel génétique est exactement recopié à chaque génération et tous les individus reproduits sont identiques, excepté quelques rares mutants. En revanche, chez les espèces sexuées, la fabrication d'un descendant requiert un mélange intime de deux demi-potentiels génétiques provenant des deux parents mâle et femelle. C'est le résultat de la fécondation, qui consiste en une fusion de deux cellules sexuelles ou gamètes, l'un mâle et l'autre femelle, apportant en général chacun le même nombre « n » de chromosomes. A noter que ce nombre n peut

J.L.DUBIN

varier de deux à plus de cent cinquante, selon les espèces animales ou végétales. L'œuf qui résulte de la fécondation possède un double jeu de chromosomes, soit n paires, chaque paire comprenant deux chromosomes semblables, l'un provenant du parent mâle et l'autre du parent femelle. A l'exception, dans certains cas, de la paire de chromosomes dits sexuels qui peuvent être semblables ou dissemblables. C'est l'ensemble de ces deux lots de chromosomes qui constitue le patrimoine génétique unique de l'œuf et de l'individu qui proviendra de son développement.

L. M. : Existe-t-il d'autres mécanismes biologiques responsables de l'innovation génétique chez les espèces sexuées ?

A. L. : Un autre mécanisme, au moins aussi important, est la méiose. Elle correspond globalement à la production de cellules sexuelles porteuses de n chromosomes à partir de cellules à 2n chromosomes. Son déroulement comprend deux divisions cellulaires pendant lesquelles le matériel génétique de la cellule mère à 2n chromosomes se dédouble en 4n chromosomes, lesquels sont ensuite répartis en quatre lots de n chromosomes dans quatre cellules filles qui deviendront des gamètes. Les gamètes ainsi fabriqués ne comportent que l'un des deux chromosomes de chaque paire de la cellule mère. Un calcul élémentaire montre que, pour une espèce ayant n paires de chromosomes, le nombre de gamètes différents possibles, par répartition des chromosomes parentaux, est $2 \times 2 \times 2 \times 2 \ldots$ (n fois), soit 2^n. Chez l'humain par exemple, qui possède n = 23 paires de chromosomes, cela porte à plus de huit millions le nombre de variantes possibles de répartition pour un gamète. Lorsque deux parents réalisent une fécondation, le mâle et la femelle peuvent, chacun, produire ce même nombre de variantes. Or, chaque variante de gamète mâle peut féconder n'importe quelle variante de gamète femelle. Ce qui porte le nombre d'œufs différents théoriquement possibles pour un couple à $2^n \times 2^n$, soit 2^{2n}. Dans le cas de l'espèce humaine, cela correspond à un nombre supérieur à soixante-quatre mille milliards de variantes possibles pour un seul couple...

L. M. : La sexualité se limite-t-elle à une combinatoire d'un matériel chromosomique préexistant ?

A. L. : Je n'ai parlé jusqu'ici que du premier et du moindre aspect de la méiose. Un autre aspect joue un rôle encore plus important dans l'innovation génétique. Il s'agit du phénomène de recombinaison des chromosomes d'une même paire, qui aboutit à un remaniement de leur structure et des associations de gènes qu'ils portent. Une cellule qui subit la méiose possède des paires de chromosomes semblables, dits homologues, issus symétriquement des parents mâle et femelle. Au début de la méiose, les chromosomes d'une même paire s'accolent gène à gène, d'un bout à l'autre. Puis ils se séparent, en s'écartant à partir du centre. Au cours de ce processus, des morceaux de chromosomes restent collés, se cassent et s'échangent entre les chromosomes de la paire. Il se produit alors un échange de matériel génétique entre le chromosome paternel et son homologue maternel. Ainsi, les chromosomes transmis par un individu à ses gamètes ne sont presque jamais ceux reçus de son père ou de sa mère, mais sont des patchworks des deux. Les cassures et les recollages d'une paire de chromosomes sont aléatoires et peuvent se produire en bien des points différents. Leur nombre augmente cependant avec la longueur des chromosomes. Il s'ensuit qu'une seule paire de chromosomes, dès qu'elle est assez longue, peut donner un nombre très élevé de chromosomes recombinés, tous différents les uns des autres. Si l'on songe que, chez les humains, l'ensemble des

J.L.DUBIN

chromosomes correspond à environ un mètre quatre-vingt-dix d'ADN par noyau de cellule, les possibilités de recombinaisons différentes sont pratiquement infinies.

L. M. : La sexualité permet-elle de fabriquer de nouveaux gènes ?

A. L. : La sexualité innove en créant de nouvelles associations de gènes, mais elle ne crée pas de nouveaux gènes. Les mutations constituent le seul mode de production naturel connu de nouveaux gènes. La science n'est pas encore assez avancée pour nous permettre d'apprécier pleinement l'importance de cette variabilité génétique naturelle. Chez l'humain en particulier, seules les variantes de quelques centaines de gènes, parmi une centaine de milliers d'autres, sont plus ou moins bien connues à travers le monde. L'étude des champignons inférieurs a montré que ces êtres relativement simples avaient déjà beaucoup de gènes présentant, chacun, au moins deux variantes connues. Les êtres supérieurs en ont encore beaucoup plus. Supposons par exemple qu'une espèce vivante possède deux cents gènes présentant chacun deux variantes, ce qui sera le cas d'une espèce très simple : 1A et 1B, 2A et 2B, 3A et 3B... Pour chacun de ces gènes, un individu peut se trouver dans trois états différents : AA, BB ou AB. Pour chacun des deux cents gènes, trois types d'individus sont possibles. Comme la recombinaison génétique permet en théorie l'association de n'importe quel état du premier gène avec n'importe quel état du deuxième, et ainsi de suite, il existe 3 x 3 x 3 x 3 x 3... (deux cents fois), soit 3^{200} types génétiques ou « génotypes » possibles dans l'espèce. Ce nombre est très supérieur à l'estimation que les astrophysiciens donnent du nombre total d'atomes chimiques dans l'Univers ! Si la sexualité ne crée pas de nouveaux gènes, elle réalise un recyclage prodigieux des vieux gènes par lequel elle diffuse et amplifie sans limite les variations apparues par mutation.

L. M. : La diversité ainsi créée cesse-t-elle jamais de s'accumuler ?
A. L. : En fait, elle n'a pas le temps de s'accumuler puisque le pendant de la sexualité est « l'invention de la mort ». Dans un système de « reproduction », les lignées vivantes perpétuent leur type, de génération en génération. Le génotype survivant est immortel, aux mutations près. Dans le cas des êtres sexués, sans bouturage ni clonage, la reproduction du génotype est impossible et la fin d'un individu signifie la mort de son génotype. Il y a donc un flux permanent d'entrée de nouveaux génotypes par la fécondation, équilibré plus ou moins par leur sortie par la mort. De ce fait, les populations sexuées ne sont jamais constituées d'une même collection de génotypes à deux moments différents : la fécondation et la mort font qu'elles changent, qu'elles évoluent en permanence.

L. M. : Comment peut-on alors définir de la manière la plus générale la sexualité ?
A. L. : Le cycle alternant fécondation-méiose est la définition biologique la plus générale de la sexualité. Il s'applique à la plupart des êtres vivants sexués, des animaux et des plantes, en passant par les humains. Ce cycle comporte trois occasions de recombinaisons génétiques, dont deux pendant la méiose et la troisième à la fécondation : échange de morceaux entre chromosomes, choix des chromosomes transmis au gamète et, enfin, mélange des chromosomes issus de deux parents différents. Chaque être provenant de deux méioses parentales et d'une fécondation a sa personnalité génétique propre et unique, différente de celles de tous ses contemporains issus d'autres fécondations, ainsi que de celles de tous ses ascendants, descendants ou parents collatéraux par voie sexuée. On mesure mieux maintenant le fossé qui sépare la sexualité de la reproduction. Celle-ci est source de continuité génétique. Le génotype d'un individu, c'est-à-dire l'ensemble de ses gènes, y est reproduit et perpétué à l'infini, sauf mutation aléatoire, accidentelle et relativement rare. L'univers des possibles est alors limité par la rareté et la lenteur de l'innovation. Au contraire, dans la sexualité, de nouvelles associations de gènes, de nouveaux chromosomes, de nouveaux génotypes apparaissent systématiquement à chaque fécondation, à chaque génération. La sexualité accélère donc à l'extrême le rythme autrement lent de l'évolution. Si la nature n'avait pu compter que sur les mutations pour assurer la variation et la diversification du vivant, nous en serions probablement encore au début de l'histoire de la vie, ou plus exactement au début d'une autre histoire de la vie... et nous ne serions pas là pour disserter sur le sexe ! ■

La nature préfère le sexe

PAR OLIVIER NÉRON DE SURGY

∎

La prédominance des espèces sexuées sur les espèces asexuées
suggère que la nature « préfère » le sexe pour la procréation des êtres
vivants. Mais les véritables avantages de la sexualité s'avèrent
aussi mal connus que les conditions de sa disparition dans certaines
lignées végétales et animales.

Parmi les millions d'espèces vivantes connues, presque toutes (au moins 95 %) sont sexuées : elles se reproduisent via la fécondation d'œufs d'un individu par les spermatozoïdes d'un autre individu. Les autres espèces, appelées lignées parthénogénétiques (sauf celles dont la reproduction découle d'une réplication cellulaire sans aucune recombinaison de gènes) se reproduisent à partir d'œufs non fécondés, et ne comportent donc que des femelles.

Pourquoi cette prédominance des espèces sexuées ? Cet état de fait est-il une constante – voire une nécessité – de l'Évolution ? Il ne semble pas en tout cas que la reproduction asexuée soit un quelconque vestige de temps anciens. Bien au contraire, puisque toutes les lignées parthénogénétiques possèdent des reliquats de sexualité : organes devenus inutiles, simulations d'accouplement...

Depuis la théorie de Charles Darwin et les fondements de la génétique par Gregor Mendel à la fin du XIXᵉ siècle, il est communément admis que le destin des espèces est gouverné par l'effet combiné des mutations génétiques et de la sélection naturelle (théorie néo-darwiniste). Il semble donc logique qu'une survie soit le fruit de certains avantages par rapport aux lignées qui s'éteignent. Or la nature exacte de ces avantages fait toujours l'objet de nombreux débats.

Tout mécanisme de reproduction est le moyen le plus efficace dont a hérité son utilisateur pour assurer, par sa descendance, la survie de ses gènes. Mais l'efficacité ne se mesure pas ici qu'en termes d'économie d'énergie : si ce mécanisme est aisé et fréquent pour chacun des individus d'une espèce, encore faut-il que ces individus résistent en nombre, génération après génération, aux contraintes mortelles de l'environnement.

espèces actuelles

TEMPS

Le principal avantage *a priori* des lignées asexuées est, précisément, énergétique : celui du coût de production des descendants. En effet, l'autonomie de leur reproduction, l'unicité des gamètes et l'économie de la fécondation contrastent avec la dualité sexuelle et la machinerie souvent très complexe de la reconnaissance, de la séduction et de la copulation – véritables débauches d'énergie – nécessaires à la procréation des espèces sexuées.

Arbre phylogénique
On a représenté en rouge les espèces sexuées, et en vert les lignées asexuées ; la largeur des branches est proportionnelle à l'effectif de l'espèce. (*P.-H. Gouyon*, «La Recherche», *n°250*.)

Les lignées asexuées bénéficient en outre d'un avantage « arithmétique » qui leur donne la possibilité de proliférer beaucoup plus rapidement que les espèces sexuées : si l'on imagine une espèce comportant, à un moment donné, autant de femelles sexuées que de femelles parthénogénétiques, produisant respectivement une femelle et un mâle contre deux femelles, on obtiendra environ mille fois plus d'individus parthénogénétiques au bout de dix générations.

Le premier avantage de la sexualité, en revanche, est la grande variabilité génétique d'une espèce qu'induit le brassage des gènes d'individus différents lors de la fécondation et des recombinaisons qui s'ensuivent. En fait, il s'agit d'un double avantage. D'une part, ce brassage peut restituer des chromosomes indemnes de mutations défavorables présentes chez l'un des deux protagonistes, alors que les mutations défavorables s'accumulent définitivement chez les lignées asexuées. D'autre part, certains individus, grâce à une mutation opportune, pourront survivre si les conditions environnementales changent brusquement, tandis que leurs semblables seront condamnés à disparaître. Ce n'est pas là un atout exclusif puisqu'une même mutation favorable peut apparaître chez une lignée asexuée ; la différence essentielle est que cette mutation peut se propager rapidement à toute l'espèce sexuée tandis que seule la descendance d'un individu asexué pourra en bénéficier (et une concomitance de plusieurs mutations favorables survient beaucoup plus rapidement chez les espèces sexuées).

Il n'est pas nécessaire d'avoir des mutations favorables pour que les espèces sexuées aient un quelconque avantage. Le point fort du sexe est plutôt la rapidité avec laquelle les espèces peuvent évoluer : grâce à la multitude de ses innovations, le sexe a souvent déjà inventé une parade ad hoc lorsque survient un bouleversement. Si la diversité génétique permet une meilleure adaptation aux aléas climatiques et à la confrontation aux autres espèces (en particulier aux parasites), elle autorise aussi un meilleur partage des ressources d'une même niche écologique, les individus n'ayant pas toujours les mêmes besoins aux mêmes moments.

Ces avantages génétiques du sexe expliquent-ils pour autant sa prédominance ? Avant toute réponse, il faut dénoncer à nouveau l'idée reçue selon laquelle la Nature aurait inventé le sexe afin de créer des espèces variées et, de ce fait, plus adaptables aux contraintes d'un environnement changeant. Cette idée finaliste est très critiquée depuis une vingtaine d'années, notamment par l'Anglais John Maynard Smith, car elle suppose que la Nature soit presciente. En effet, une meilleure adaptabilité aux variations d'environnement est un avantage a posteriori. Or, comme nous dit François Jacob, « *l'évolution ne prévoit pas* ».

Cette critique remettant en cause l'explication de la prédominance du sexe par ses avantages à long terme, certains chercheurs se sont mis en quête d'avantages immédiats. Pierre-Henri Gouyon, par exemple, propose que ces derniers ne seraient pas communs à toutes les espèces sexuées, donc seraient indépendants du brassage génétique. Cette hypothèse (pas toujours bien reçue, notamment aux États-Unis, où le concept néo-darwiniste d'avantages communs liés à la diversité génétique semble très résistant) est étayée par l'observation de rares espèces chez lesquelles coexistent sexe et parthénogénèse. Par exemple chez les pucerons de l'ortie, les lignées asexuées ne prolifèrent pas car elles supportent mal les hivers froids, tandis que, grâce à leurs œufs, les lignées sexuées survivent. Chez certaines plantes, les lignées sexuées dominent grâce à la dissémination de leurs graines ou grâce à leur plus grande fertilité.

Plus fragiles, les lignées parthénogénétiques ont une durée de vie moyenne relativement brève. Les lignées actuelles devraient ainsi être récentes. Or il est très difficile d'estimer leur âge, notamment parce que les traces de sexualité dans les fossiles sont rarissimes. Les études actuelles tendent pourtant à confirmer cette hypothèse, mais le cas de petits invertébrés aquatiques, les rotifères, pose problème : cette lignée parthénogénétique semble très ancienne.

La question des avantages du sexe demeure donc ouverte. Elle intéresse l'avenir du genre humain : presque toutes les espèces sexuées sont susceptibles d'abandonner leur sexualité (on connaît très mal les conditions d'un tel abandon), et le fait qu'on n'ait observé aucun mammifère parthénogénétique n'implique pas l'impossibilité de leur existence passée ou à venir. Qu'adviendra-t-il alors de l'Homme si un tel événement se produit et si sa Science ne peut l'éviter ? Que deviendront les liens sociaux engendrés par le sexe pour le meilleur d'une solidarité familiale ou pour le pire d'une jalousie destructrice ? Exterminera-t-on finalement ces nouveaux êtres afin que la sexualité humaine ne disparaisse pas au profit d'une multitude de sosies, puissante mais condamnée ?

L'existence et le maintien du sexe sont peut-être fortuits, ils n'en restent pas moins salutaires. ∎

Méiose, recombinaison génétique et fécondatio

Les universaux du sexe

PAR LAURENT MAYET

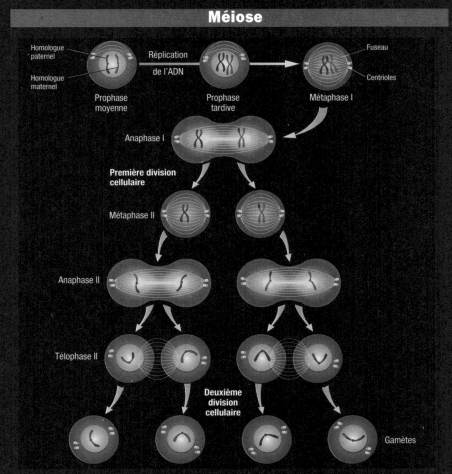

Méiose

Homologue paternel
Homologue maternel
Réplication de l'ADN
Fuseau
Centrioles
Prophase moyenne
Prophase tardive
Métaphase I
Anaphase I
Première division cellulaire
Métaphase II
Anaphase II
Télophase II
Deuxième division cellulaire
Gamètes

Pour simplifier, une seule paire de chromosomes a été représentée. Avant la méiose, chaque chromosome est dupliqué et se présente sous la forme de deux chromatides sœurs attachées. Chaque chromosome ainsi dupliqué s'apparie avec son homologue en s'alignant sur un fuseau (métaphase I), puis se sépare de lui en migrant vers le pôle opposé (anaphase I). La première division cellulaire se produit et chaque cellule fille hérite de deux exemplaires de l'un des chromosomes homologues. Lors de la deuxième division cellulaire, les chromosomes s'alignent (métaphase II) sur un second fuseau et les chromatides sœurs se séparent pour produire des cellules à chromosomes simples ou gamètes (télophase II).

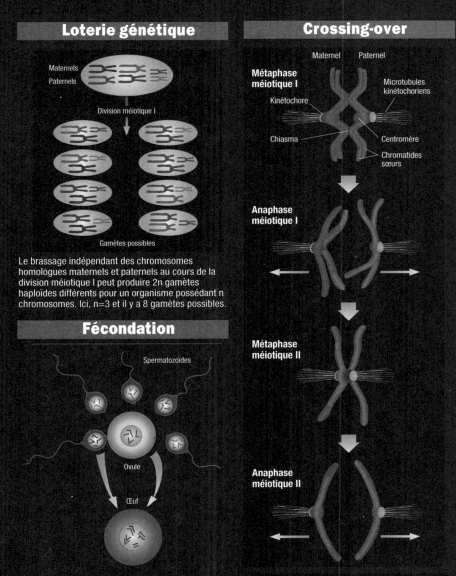

Loterie génétique

Maternels
Paternels

Division méiotique I

Gamètes possibles

Le brassage indépendant des chromosomes homologues maternels et paternels au cours de la division méiotique I peut produire 2n gamètes haploïdes différents pour un organisme possédant n chromosomes. Ici, n=3 et il y a 8 gamètes possibles.

Fécondation

Spermatozoïdes

Ovule

Œuf

Lors de la fécondation, chaque parent fournit un gamète (ovule ou spermatozoïde) possédant chacun n chromosomes. Il en résulte un œuf à 2 n chromosomes. Chez la mouche du vinaigre, l'œuf reçoit n=4 chromosomes de chacun des parents, soit 2n=8.

Crossing-over

Maternel   Paternel

Métaphase méiotique I

Kinétochore

Microtubules kinétochoriens

Chiasma

Centromère

Chromatides sœurs

Anaphase méiotique I

Métaphase méiotique II

Anaphase méiotique II

L'enjambement des chromosomes homologues au cours de la prophase de la division méiotique I entraîne l'échange de segments de chromosomes et de ce fait, le brassage de gènes dans les chromosomes individuels.

L'invention de la sexualité

PAR BERNARD GODELLE,
MAÎTRE DE CONFÉRENCES À L'INSTITUT NATIONAL AGRONOMIQUE DE PARIS-GRIGNON
ET PIERRE-HENRI GOUYON,
PROFESSEUR À L'UNIVERSITÉ PARIS-SUD

■

Quand la sexualité est-elle apparue dans l'histoire du vivant ?
Si l'omniprésence de la sexualité dans l'ensemble des groupes vivants
semble indiquer que le sexe est un caractère ancestral de la vie,
la coïncidence entre sexe et reproduction apparaît cependant
comme le résultat de la complexification des organismes.

Contrairement à une idée fort répandue, l'origine du sexe se confond avec l'origine de la vie. Il existe bien aujourd'hui des espèces à reproduction asexuée, mais ce sont des espèces qui ont perdu l'usage du sexe, et non pas des espèces qui ne l'ont jamais acquis. L'observation des systèmes sexuels actuels permet d'en comprendre les origines. Elle montre aussi que les incessants transferts d'information dont ces systèmes font l'objet remettent en cause l'identité génétique de l'individu.

Pour rechercher l'origine du sexe, il paraît logique de prendre son microscope et d'aller s'occuper des pratiques intimes d'organismes rudimentaires qui se cachent dans des milieux épouvantables – du genre de ceux qu'on imagine sur notre planète quand elle était jeune – et pour qui l'évolution est une perspective d'avenir et non un glorieux passé comme le nôtre. Mais cette logique est fausse, car ces micro-organismes (des bactéries et autres microbes) ont le même âge évolutif que nous ! Même si leur simplicité n'a rien *a priori* qui force le respect (ils n'ont pas d'organes et se réduisent souvent à une seule cellule qui n'a même pas une organisation aussi bien structurée que les nôtres), leur succès évolutif nous indique bien qu'il serait faux de les considérer comme primitifs. Mais même si ce sont des sys-

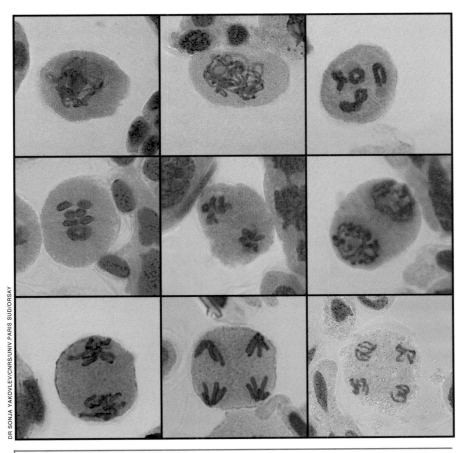

La réduction chromatique

Une cellule diploïde (comme celles qui nous constituent) contient des paires de chromosomes. Les chromosomes d'une même paire proviennent de parents différents et sont dits « homologues ». La méiose (ou réduction chromatique) est l'opération transformant une cellule diploïde en cellules haploïdes qui ne contiennent qu'un chromosome de chaque paire. Cette réduction de moitié du nombre de chromosomes sera compensée par la fécondation qui produit à nouveau une cellule diploïde. La phase haploïde est plus ou moins développée selon les espèces. Certaines d'entre elles (algues, champignons, mousses...) vivent même essentiellement à l'état haploïde. L'étape de la méiose est cruciale car elle donne lieu à une recombinaison génétique : lors de la prophase tardive, les chromosomes homologues échangent des segments. Les chromosomes issus de la méiose ne sont donc pas ceux de la cellule diploïde initiale. La complexité de ce processus suggère une longue histoire évolutive, riche en contraintes et en conflits. Il existe par exemple des chromosomes « tricheurs » qui éliminent leur partenaire. Dans certaines espèces, on observe une dégénérescence de la méiose. Chez certains insectes mâles, il n'y a plus de recom-binaison entre chromosomes homologues. D'autres espèces évitent même la méiose : leurs cellules refusionnent dès leur première division, sans qu'il y ait eu fécondation, ce qui constitue une façon de perdre la sexualité.

B. G. et P.-H. G.

Les trois « empires » du vivant

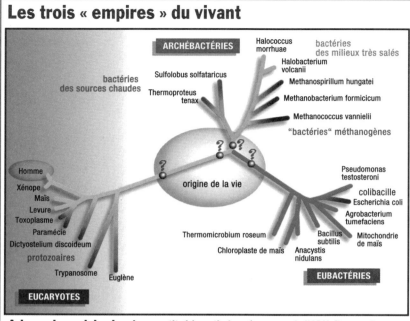

ARCHÉBACTÉRIES

Halococcus morrhuae — bactéries des milieux très salés

Halobacterium volcanii

bactéries des sources chaudes

Sulfolobus solfataricus

Thermoproteus tenax

Methanospirillum hungatei

Methanobacterium formicicum

Methanococcus vannielii

"bactéries" méthanogènes

origine de la vie

Homme
Xénope
Maïs
Levure
Toxoplasme
Paramécie
Dictyostelium discoideum
protozoaires
Trypanosome
Euglène

EUCARYOTES

Pseudomonas testosteroni

colibacille
Escherichia coli

Agrobacterium tumefaciens

Thermomicrobium roseum

Chloroplaste de maïs

Bacillus subtilis

Anacystis nidulans

Mitochondrie de maïs

EUBACTÉRIES

Arbre universel du vivant reconstitué à partir des séquences de l'ADN ribosomal.

Les êtres vivants actuels ont tous une origine commune (comme le prouve la quasi-universalité du code génétique). Ils sont répartis en trois grands groupes : les Eucaryotes, qui ont une structure cellulaire complexe, et qui rassemblent les Plantes, les Champignons, les Animaux et les Protozoaires, des microbes dont la structure cellulaire ressemble à la nôtre ; les Eubactéries, des microbes à la structure cellulaire simple dont certains vivent dans les cellules des Eucaryotes (les mitochondries) ou des plantes (les chloroplastes) ; les Archébactéries, qui ressemblent par leur simplicité aux bactéries mais sont structurellement très différentes. Elles ont été appelées Archébactéries car elles vivent dans des milieux extrêmes, et l'on a cru qu'elles étaient des fossiles vivants d'organismes primitifs. En fait, on sait maintenant que ce sont nos cousines, certes très éloignées, mais bien nos cousines et pas nos aïeules. La durée qui les sépare de l'ancêtre du monde vivant est la même que pour nous. Une durée que l'évolution a mis à profit en inventant, en essayant de nouvelles combinaisons, puis n'en retenant que les meilleures. Alors si Eubactéries et Archébactéries sont petites et simples aujourd'hui, c'est sans doute qu'il s'agit d'une bonne stratégie, longuement peaufinée, que ne connaissaient sûrement pas les premiers êtres vivants. Si certaines de ces bactéries vivent dans des environnements extrêmes, c'est qu'elles s'y sont adaptées. Certains scientifiques, qui exagèrent peut-être un peu , n'hésitent même pas à imaginer que l'ancêtre commun de toutes les formes vivantes actuelles aurait été plus proche de l'une de nos cellules – avec toutes ses complications – que de ces bolides métaboliques profilés que sont les bactéries.

L'évolution aurait consisté chez elles à supprimer les structures encombrantes et mal pratiques qui diminuent leur efficacité dans la course à la reproduction.

B. G. et P.-H. G.

tèmes évolués, il y a beaucoup à apprendre de l'étude de ces organismes simples.

Commençons donc par le plus simple, sachant bien que la nature, elle, n'a sans doute pas procédé ainsi. Le sexe – dont on admet ici la nécessité –, c'est la rencontre de deux informations génétiques différentes qui s'associent pour former une nouvelle entité. Quels sont les moyens les moins élaborés de mettre ces informations en présence pour qu'elles en constituent une nouvelle ? Il faut avoir sa propre information génétique (facile), être capable d'en trouver une autre (voilà déjà qui paraît plus ardu), et avoir un moyen de les mélanger pour faire du nouveau. A cette fin, on devrait pouvoir recourir à la machinerie enzymatique qui a l'habitude de s'occuper de l'ADN, de le couper pour défaire ses nœuds, de le multiplier, de le réparer quand un morceau est abîmé ou d'y insérer un autre en meilleur état. Le problème majeur, donc, c'est l'Autre. Où aller le chercher ? Pour cela, en gros, il existe trois méthodes : partir en chasse, prendre ce qu'on trouve, ou établir des échanges avec ceux qui ont le même problème que soi.

Tous les niveaux de raffinement sont possibles quand il s'agit, pour un microbe, de partir en quête de l'information-sœur avec qui elle créera du nouveau. La méthode la plus simple (peu efficace) consiste tout simplement à excréter l'information, comme ça, nue, dans le milieu. Chez les bactéries, ça ne marche pas si mal que ça : les milieux dans lesquels elles vivent ne sont pas forcément très dangereux pour l'ADN, qui est somme toute une molécule assez robuste. Autant dire d'ailleurs qu'entre une bactérie morte et une bactérie qui a décidé de faire du sexe, il n'est pas forcément aisé de faire la différence : si la structure de la bactérie est en morceaux, cela ne veut pas dire forcément que l'information qui était dans cette bactérie ne saura pas trouver une autre bactérie où s'installer de nouveau.

A l'autre extrême se trouve le dispositif de la conjugaison bactérienne. Rien n'y est laissé au hasard : un outil particulier, le pilus, permet le transfert d'une information génétique entre bactéries. Mais la conjugaison ne mène pas forcément à la recombinaison. Quand cette information n'est pas intégrée, cette sexualité ressemble à du parasitisme des bactéries par un plasmide (anneau d'ADN ne faisant pas partie du chromosome bactérien). On peut d'ailleurs généraliser cette constatation troublante que, quand on parle de sexe, on n'est jamais bien loin de l'infection. Par exemple, le mauvais fonctionnement d'un transfert de virus peut provoquer une transduction, c'est-à-dire le transfert d'ADN chromosomique.

Face aux chasseurs qui se jettent à l'eau à la rencontre du partenaire, il y a les opportunistes, qui attendent simplement que le partenaire vienne à eux. Pour les bactéries, il suffit simplement de pêcher l'ADN qui traîne dans le milieu et de l'intégrer dans son génome. Il faut cependant faire bien attention, car à côté de l'ADN inoffensif que l'on pourra intégrer avec profit, il y a aussi l'ADN agressif qui n'a qu'un seul programme : s'introduire dans une bactérie, s'y multiplier, la détruire et recommencer. Du coup, les bactéries se protègent en coupant en morceaux l'ADN qu'elles veulent essayer, de sorte que les virus soient réduits à l'impuissance. Ces comportements de défense sont d'ailleurs une bonne mesure de la différence entre les transferts d'information qui relèvent du commensalisme et ceux qui relèvent du parasitisme. Si l'associé que le candidat au transfert a contacté se rebiffe, c'est plutôt mauvais signe...

Les bactéries préfèrent n'avoir qu'une dose d'information (elles sont dites haploïdes). Quand elles en ont deux différentes, elles les mélangent tout de suite et jettent la moitié inutilisée. Les paramécies, elles, préfèrent garder les deux (elles sont dites diploïdes). C'est juste avant de recevoir un nouveau génome qu'elles recombinent leur double information puis en éliminent une moitié.

Les microbes ont donc de nombreuses manières d'échanger de l'information génétique, dont certaines confinent au parasitisme et ont alors leurs équivalents chez des organismes multicellulaires. Mais chez ces derniers, il est difficile d'imaginer un troc informationnel qui toucherait en même temps toutes les cellules qui les constituent (plusieurs milliers de milliards chez l'Homme). Alors comment faire ? Le seul moyen, c'est de pratiquer ces échanges au moment où l'organisme a la simplicité d'un microbe. A ce moment-là, rien n'empêche de mélanger des informations. La plupart des êtres vivants ont de bonnes raisons de commencer petit, ce qui permet d'envoyer ses descendants aller voir ailleurs s'ils ne pourraient pas disséminer des gènes un peu plus loin. A ce stade apparaît donc une nouveauté : reproduction et dissémination deviennent liés au sexe.

Chez beaucoup d'organismes, une seconde nouveauté vient s'ajouter au tableau. Les deux cellules qui fusionnent, les gamètes, ne sont pas nécessairement de taille égale. Au niveau des gamètes, il n'y a que deux solutions : soit les deux sont semblables, soit il y en a un gros et un petit. Au niveau des individus qui les produisent, les cas de figure sont multiples. Si les gamètes sont de même taille, il peut exister des sexes (désignés par exemple par « a » et « α », « + » et « - »). Si les gamètes sont de tailles inégales, de nombreuses possibilités exis-

Parasitisme et sexualité

Il n'y a pas loin de l'hérédité à l'infection... comme l'affirmait déjà Darlington dès avant le milieu du siècle. Prenons l'exemple de la conjugaison bactérienne. Le chromosome bactérien est recopié, puis en partie transmis dans la bactérie conjugante avec le chromosome de laquelle il recombine (cas B de la figure). Mais dans certains cas (A), l'information nécessaire à la formation des structures de conjugaison est séparée sous la forme d'un plasmide indépendant. On comprend alors que l'origine de cette forme de sexe est en fait une véritable infection. Le plasmide F (F pour fertilité), intégré ou non, dirige la mise en place d'une seringue à ADN, le pilus. La bactérie qui porte F se hérisse donc de piquants (pili), et dès qu'un de ces piquants entre en contact avec une autre bactérie, le transfert d'information vers l'autre bactérie commence. On comprend bien l'intérêt de ce transfert quand le facteur F est séparé sous forme de plasmide : ce qui est transmis, c'est lui ! Il n'y a pas vraiment de recombinaison. Il s'agit donc bien d'infection. Une infection parfois utile (à la limite du parasitisme et de la symbiose) car les plasmides ont la bonne habitude de porter souvent des résistances aux bactéricides, ce qui est hautement appréciable. Le sexe peut donc fort

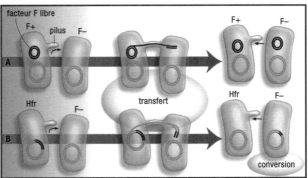

La conjugaison bactérienne
Quand le plasmide (facteur F) est libre (cas A), on appelle F+ la bactérie donneuse (ou mâle) ; quand il est intégré sur le chromosome bactérien (cas B), elle s'appelle Hfr (haute fréquence de recombinaison). Quand le facteur est absent, la bactérie, désignée par F-, est receveuse (ou femelle).

ressembler à du parasitisme. Quand nous attrapons la grippe, c'est que des séquences d'ADN appelées virus colonisent notre organisme. L'information qu'elles portent leur sert à se multiplier et à nous faire éternuer (ce qui leur sert de pilus !). Chaque fois qu'un virus se transmet – surtout ces virus, qui, comme le virus du sida, s'intègrent dans notre génome –, on peut toujours se demander s'il s'agit de sexe ou d'infection. Après tout, dans la mesure où ces informations sont capables de s'intégrer dans un génome, pourquoi ne pas les considérer comme faisant partie du génome ? On peut être tenté de répondre qu'elles ne sont pas vraiment utiles pour l'organisme qui les porte, et

même plutôt gênantes. Cependant, si l'on devait exclure de notre patrimoine génétique tout ce qui n'y est pas utile, il resterait à peine une séquence sur cinq (un pape célèbre pour sa bonhomie, à qui l'on demandait combien de personnes travaillaient au Vatican, avait répondu : « Oh, sans doute *pas plus de la moitié.* ») La meilleure réponse nous semble être de dire qu'il faut distinguer les séquences qui ne transmettent qu'elles-mêmes (il s'agit alors de parasitisme si c'est dangereux pour les séquences à qui l'on s'associe, et de symbiose dans le cas contraire), et les mécanismes qui permettent de construire une combinaison nouvelle (et là, c'est du vrai sexe).

B. G. et P.-H. G

Alternance des états dipoïde et haploïde

Pour réaliser des échanges d'informations, il faut à un moment donné en jeter une certaine quantité afin d'intégrer la nouvelle information que l'on emprunte à son conjoint. Or les organismes ont coutume d'alterner une phase où ils possèdent un génome en un exemplaire (phase haploïde), et une phase où ils en possèdent deux exemplaires (phase diploïde). Ce phénomène peut se produire indépendamment de la sexualité, ne serait-ce qu'au moment de la réplication de l'ADN (les deux copies présentes sont alors identiques, aux mutations près). Il existe par exemple des organismes comme le microbe Pyrsonympha (un cousin éloigné de la paramécie) qui commencent avec un génome, puis le dupliquent et continuent avec deux, recommencent et possèdent alors quatre génomes, puis huit... et un beau jour décident que trop c'est trop, et redescendent à un. A quoi bon alterner ainsi surabondance d'information et concision extrême ? La réponse classique, c'est que la concision permet l'efficacité, dont nous avons vu qu'elle est la devise même des bactéries, alors que la surabondance permet la fiabilité. Pour les mêmes

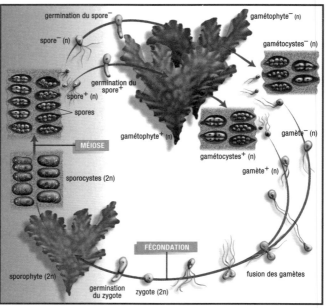

raisons, les vélos de course n'ont pas de roue de secours et les véhicules tous-terrains en ont quelquefois deux. Au contraire, le sexe est un moyen de disposer de deux informations différentes. Les organismes complexes, eux, s'accommodent très bien d'une phase diploïde. Ils placent la sexualité au moment où ils changent de phase. La rencontre est effectuée lors du passage de l'état haploïde à l'état diploïde (fécondation), et la recombinaison des informations lors de la méiose. Un tel processus est illustré par le cycle de l'ulve représenté ci-dessus.

B. G. et P.-H. G.

Le cycle de l'ulve, ou « laitue de mer »

L'ulve est une algue verte presque transparente qui prolifère le long des côtes et dans les eaux usées. Elle alterne une phase haploïde (n chromosomes) avec une phase diploïde (2n). Quand elle passe de la première à la seconde, elle assemble deux informations différentes (fécondation) provenant des gamètes notés « + » et « - », et quand elle passe de la seconde à la première, elle en profite pour mélanger les deux informations (méiose).

tent. Chez beaucoup d'animaux, il y a deux sexes. Ces deux sexes sont souvent séparés en deux groupes d'individus dont l'un ne produit que des gamètes mâles et l'autre uniquement des gamètes femelles. Chez la plupart des plantes, les individus sont hermaphrodites, c'est-à-dire qu'ils produisent chacun les deux types de gamètes. Ceci ne signifie pas que chacun peut se reproduire avec tous, loin s'en faut! Chez certaines espèces, il existe un système dit d'auto-incompatibilité qui fait que deux individus qui ont le même génotype pour ce système ne peuvent pas se reproduire entre eux (en particulier, un individu ne peut alors pas se reproduire avec lui-même). L'exemple de la primevère est bien connu. Les fleurs à style long et à étamines courtes ne peuvent se croiser entre elles mais doivent envoyer à dos d'abeille leur pollen dans les fleurs à style court et à étamines longues. Ces deux formes définissent donc deux sexes. Chez d'autres espèces comme le trèfle, les individus sont tous hermaphrodites mais le nombre de groupes de reproduction (c'est-à-dire le nombre de sexes) peut atteindre plusieurs dizaines ! Ainsi, chaque individu peut se reproduire avec tous les autres, sauf ceux qui ont le même génotype que lui.

Le gamète femelle (ovule, ou oosphère chez les plantes) est nourricier, alors que le gamète mâle (spermatozoïde) « profite » de l'effort reproducteur consenti par le gamète femelle, sans y contribuer. Souvent, la mère s'occupera du descendant durant les premiers stades de son développement. Chez les mammifères, elle a même développé des glandes mammaires qui permettent de nourrir sa progéniture après la naissance. Il arrive cependant que le mâle doive contribuer à l'élevage du descendant. C'est le cas chez l'Homme comme chez diverses espèces d'oiseaux. Il arrive même que les rôles soient inversés (c'est le cas chez l'hippocampe, où la femelle déverse ses œufs dans la poche incubatrice du mâle, ou chez le crapaud accoucheur qui garde les œufs entre ses pattes et les entretient jusqu'à l'éclosion). Mais ces cas ne sont célèbres que parce qu'ils constituent l'exception. Dans la plupart des espèces, le mâle ne contribue en rien au devenir des petits. Il est même courant qu'il en soit le principal prédateur ! « *Le spermatozoïde est le bandit à l'état pur* », écrit Emil Cioran. Le passage de l'isogamie à l'anisogamie, d'un monde égalitaire à un monde où le mâle exploite les ressources fournies au descendant par la femelle, a été l'objet de scénarios différents. Malgré leurs différences, ces scénarios donnent tous aux mâles une origine de « parasites » dont la stratégie aurait consisté à produire beaucoup de petits gamètes au lieu de « jouer le jeu » en fournissant au descen-

La conjugaison des paramécies

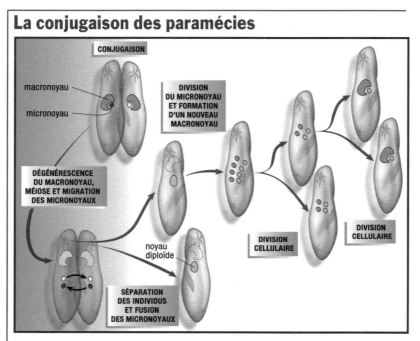

Les paramécies sont des protozoaires ciliés communs dans les eaux douces stagnantes, et pouvant atteindre 0,2 millimètre. La figure ci-dessus illustre la conjugaison de deux paramécies (le mot conjugaison est le même que pour les bactéries, mais la réalité est différente). Dès leur contact, chacune des deux paramécies commence par « bien mélanger » son information génétique : le macronoyau se désintègre et le micronoyau se divise par une méiose en quatre micronoyaux haploïdes. Trois d'entre eux sont éliminés ; une copie du quatrième est échangée avec celle de sa partenaire. Puis les paramécies se séparent. Les deux micronoyaux fusionnent en un nouveau micronoyau diploïde, lequel se redivise, tandis que de nouveaux éléments de macronoyau se constituent.

Enfin, chaque paramécie se divise deux fois, de sorte que huit nouveaux protozoaires résultent de la conjugaison. Le but du jeu est clair : faire une combinaison nouvelle. Ni arnaqueur ni arnaqué dans l'affaire.

B. G. et P.-H. G.

dant les ressources qui lui sont nécessaires. Les autres, les gros gamètes, submergés par ce flot de petits gamètes mobiles, auraient dû se faire une raison et ne sauraient plus se débrouiller entre eux. Ils auraient fini par attendre l'Autre, le parasite, et c'est ainsi que se serait créée la différenciation des sexes sur laquelle se sont construites tant de formes vivantes.

Si l'on tente d'imaginer les origines de la vie, on est conduit à se figurer des agrégats moléculaires procédant à une petite alchimie interne. Dans ces agrégats, une information génétique est reproduite, portée par un acide nucléique (ADN ou ARN). Inévitablement, de temps en temps, une information venue de l'extérieur entre dans l'agrégat. Elle peut être utile, voire indispensable, en apportant quelque chose qui manquait ou qui avait été perdu. Elle peut aussi être agressive et utiliser l'agrégat à ses propres fins, au besoin en le détruisant. Chaque « génome » a donc dû trouver le moyen de trier, parmi les informations extérieures, lesquelles pouvaient être celles qui étaient suffisamment semblables pour permettre de corriger des erreurs ou des oublis, mais pas celles qui risquaient de détruire le fragile équilibre interne. Aux échanges anarchiques des origines ont succédé des échanges organisés, avec un partenaire choisi. On voit alors émerger le sexe sous sa forme moderne, et du même coup apparaître l'espèce, au sens biologique du terme : ensemble d'individus qui échangent des gènes de façon organisée par la sexualité. L'Autre n'est pas identique, certes, mais il est compatible avec Soi : il appartient à la même espèce. Le sexe, c'est la recherche de l'Autre, différent... mais pas trop.

L'Autre génétique, ni trop près ni trop loin, fusionnant avec Soi pour produire un descendant. Soi, entité intègre et cohérente, devant certes se méfier de l'Autre mais possédant des garde-fous... Voilà la vision qu'on pouvait avoir jusqu'à la fin des années 70. Vers cette époque émergent des questions nouvelles remettant en question cette image du Soi génétique. Le génome de tout individu, le programme de son développement, est, comme on l'a vu, composé d'une très large majorité d'informations qui peuvent difficilement être considérées comme des gènes. Beaucoup de séquences parasites sont répétées en un nombre de copies variant de quelques unités à quelques millions, et, comme leurs matrices, semblent n'avoir d'autre but que de se faire reproduire. Contrairement aux gènes qui produisent un organisme dans ce même but, ces séquences parasites utilisent l'organisme sans contribuer elles-mêmes à sa production. L'étude de ces séquences a modifié notre vision du génome de sorte qu'il est de plus en plus difficile de reconnaître le Soi du non-Soi dans le génome des organismes. ■

Pour en savoir plus :
● *The Evolution of Sex*, de John Maynard Smith, Cambridge University Press, 1976.● *The Major Transition in Evolution*, de John Maynard Smith et Eörs Szathmáry, Freeman & Co., Oxford, 1995.
● *Origin of Sex : three billion years of recombination*, de L. Margulis et D. Sagan, Yale University Press, New Haven, 1986. ● *The Masterpiece of Nature*, de Graham Bell, Croom Helm, London, 1982.
● *Microbiology*, de L. Prescott, J. Harley et D. Klein, Wm. C. Brown Publishers, 1996.

La sexualité et la mort

PAR RONALD DE SOUSA,
PROFESSEUR DE PHILOSOPHIE À L'UNIVERSITÉ DE TORONTO

Pourquoi dans le monde vivant, le vieillissement et la mort vont-ils de pair avec la reproduction sexuée ? La mortalité des espèces sexuées est-elle une nécessité de l'Evolution ?

O n entend parfois affirmer que la reproduction sexuée, comme la mort, aurait été sanctionnée par la sélection naturelle afin que l'évolution pût avoir lieu. La sexualité, dans cette optique, serait nécessaire pour assurer la variété sans laquelle la sélection n'aurait pas eu de choix à faire. Rappelons, pour mieux comprendre cette idée, certains mécanismes qui sont à la base de la reproduction. De fait, seule la reproduction asexuée est véritablement digne de ce nom, puisqu'elle seule reprend intégralement la matière génétique d'un organisme pour en fabriquer un autre essentiellement identique. La reproduction sexuée, au contraire, commence par un dédoublement de chaque chromosome, dont la moitié seulement se retrouvera dans chaque cellule fille, ou gamète, qui participera à la fécondation. Ce gamète, une fois fusionné avec un autre issu d'un organisme génétiquement différent, donnera donc lieu à un individu conçu sur un plan absolument nouveau. Ce processus ne garantit même pas l'intégrité de chaque chromosome, car il peut y avoir des échanges de matériel génétique, notamment par croisement des paires de chromosomes, avant la méiose. Ces échanges peuvent donner lieu à des caractéristiques inédites qui sont relativement stables, et qui l'emportent parfois dans la lutte pour l'existence. La soi-disant repro-

duction sexuée produit donc une variété pratiquement illimitée de génotypes, et c'est sur ce répertoire immense que s'opère la sélection naturelle. Il est bien évident, par ailleurs, que ce triage ne saurait s'effectuer s'il n'y avait pas élimination de la grande majorité de ces formules nouvelles. La mort servirait donc à laisser la place aux formes nouvelles sans lesquelles, encore une fois, aucun triage évolutif ne saurait s'effectuer. « *La reproduction sexuée crée sans cesse de nouveaux types... mais ceux-ci ne peuvent diffuser leurs combinaisons... que si les anciens leur laissent la place* », écrit le biologiste Jacques Ruffié (*in Le sexe et la mort*, Odile Jacob, 1986).

De fait, ces hypothèses sont absurdes, dans la mesure où elles imputeraient à l'évolution une finalité illusoire. On conçoit trop souvent l'évolution comme un processus de perfectionnement qui amène sans cesse des formes plus complexes – « plus évoluées », comme dit le langage courant, ce qui signifie supérieures. Ces formes « supérieures » seraient en quelque sorte le but de l'évolution – c'était le point de vue de Teilhard de Chardin, qui espérait vainement marier l'évolution à la théologie. L'évolution aurait alors besoin qu'on lui fasse de la place, et donc besoin de faire mourir les individus, comme un ouvrier a besoin de débarrasser son établi des détritus de ses travaux précédents.

Or c'est bien là un contresens. La vie, selon l'optique darwinienne si lucidement résumée par Jacques Monod (*Le hasard et la nécessité*, Seuil, 1970), est l'effet du hasard et de la nécessité : du hasard des mutations et des recombinaisons génétiques, et de la nécessité des lois naturelles selon lesquelles se déroulent les suites de ces rencontres aléatoires. Par conséquent, ni le sexe, ni la mort ne peuvent être considérés comme les instruments de l'opération de l'évolution. Il est vrai que si toute reproduction se passait sans recombinaison de matière génétique, la vie aurait pu rester plus ou moins la même sans faire place à des espèces nouvelles. Bien sûr, on ne peut pas légitimement supposer que l'évolution devait nécessairement avoir lieu.

Pourtant, elle a eu lieu. Et nous verrons que la sélection naturelle semble en effet avoir établi un lien nécessaire entre le sexe et la mort. Il est permis de conclure qu'étant donné l'avènement de la sexualité, la sélection naturelle devait fatalement amener des organismes comme nous, c'est-à-dire pluricellulaires, uniques, et voués à la mort.

On doit supposer, à la base, deux « découvertes » au niveau des organismes unicellulaires : deux accidents, dont il est difficile d'évaluer la probabilité absolue. Il s'agit d'abord de la conjugaison, une forme primaire de sexualité qui permet l'échange de matière génétique entre des cellules dissemblables. Ce n'est pas encore la reproduction sexuée, puisque ce processus ne donne pas lieu à une augmentation du nombre d'individus. Ces échanges auraient eu l'heureux effet de permettre à une cellule de se servir du matériel génétique d'une autre afin de réparer son matériel génétique endommagé par les erreurs de copies que sont les mutations. Les cellules dotées d'un tel mécanisme de réparation auraient acquis par là une plus grande stabilité. Cet avantage aurait suffi pour perpétuer ce mécanisme de base jusque dans la reproduction sexuée proprement dite. Mais il entraîne aussi une variété plus grande de formes de vie, et un risque de mort lorsque la recombinaison génétique n'est pas viable.

La seconde « découverte » est celle de la coopération entre cellules. Elle a donné lieu à diverses sortes de symbioses, dont les organismes pluricellulaires sont la culmination. Or, tout organisme complexe suppose une différentiation de fonctions. Un cas particulier de différentiation nous intéresse surtout : c'est la division du travail qui implique, chez les métazoaires, une ségrégation entre les cellules somatiques, qui se divisent par mitose, c'est-à-dire en produisant deux cellules filles identiques, et les cellules gamétiques, dont la méiose réduit de moitié leur patrimoine génétique.

Dès la fin du siècle dernier, le biologiste allemand August Weismann avait formulé sa doctrine de la continuité du plasma germinatif. Sans rien connaître de la génétique telle que nous la comprenons aujourd'hui, Weismann avait postulé qu'aucune modification apportée à l'individu au cours de sa vie ne saurait influencer la génération suivante. Cette « barrière de Weismann » expliquait pourquoi, contrairement aux spéculations de Jean-Baptiste Lamarck, aucune amélioration apportée par l'effort d'un individu ne peut être transmise génétiquement à sa progéniture. Weismann avait deviné juste, et on connaît aujourd'hui le mécanisme de cette ségrégation : au bout de quelques divisions seulement, les cellules dont les descendantes sont destinées à former les organes somatiques perdent leur capacité de se diviser par méiose. En même temps, les ancêtres des cellules gamétiques, elles, perdent la capacité de se spécialiser en cellules organiques. Cette barrière infranchissable n'a, au premier abord, rien de nécessaire : son érection chez tous les organismes métazoaires appelle donc une explication. Selon Leo Buss (*The Evolution of Individuality*, Princeton University Press, 1987), elle serait, elle aussi, un effet incontournable de la sélection naturelle, et c'est précisément la ségrégation entre cellules germinales et somatiques qui cimente le lien entre le sexe et la mort. Voyons donc comment elle est appelée à jouer ce rôle.

La ségrégation de la lignée des cellules reproductrices va avec la reproduction sexuée. Il existe quelques exceptions : déjà, l'humble paramécie possède deux noyaux d'ADN. Le plus grand, périssable, s'occupe uniquement de l'intendance métabolique, tandis que le plus petit, en quelque sorte immortel, n'entre en jeu que pour organiser la division cellulaire. Dès que celle-ci est effectuée, ce noyau principal se divise encore une fois. L'un de ses successeurs constitue un nouveau noyau secondaire, périssable lui aussi, tandis que l'autre se remet en attente de son austère fonction d'éternité. Ce phénomène étrange présage déjà le rapport étroit qui unit la barrière de Weismann, la reproduction sexuée, et la mort de l'individu.

On sait par ailleurs que la reproduction sexuée est à la fois coûteuse et dangereuse. Coûteuse, puisqu'il faut deux individus au lieu d'un pour en produire d'autres ; dangereuse, puisqu'à chaque mélange génétique on détruit un plan qui a fait ses preuves pour le remplacer par un autre auquel le hasard a une grande part. On pourrait donc penser que la reproduction asexuée aurait du s'avérer de loin supérieure. Cela serait conforme au bon sens, suivant le principe que si une formule est bonne, il n'y a aucune raison d'y apporter des modifications aléatoires qui la rendront et plus chère et moins fiable.

Or, s'il existe des cas de reproduction asexuée chez les métazoaires, il n'existe aucun organisme multicellulaire différencié qui n'ait, au cours de son évolution, utilisé la méthode sexuée. La sélection aurait donc favorisé la reproduction sexuée, peut être parce qu'en brouillant les cartes génétiques, elle permet, comme l'explique Matt Ridley (*The Red Queen : Sex and the evolution of human nature*, Macmillan Viking, 1993) de gagner la lutte contre les parasites qui, eux, comptent sur un milieu stable.

Dans le cadre de la reproduction sexuée, la ségrégation de Weismann permet aux cellules sexuelles de se vouer entièrement à sauvegarder l'intégrité de leur ADN. La logique inéluctable de la sélection naturelle repose sur une lapalissade : que les gènes qui savent le mieux assurer l'exactitude de leurs copies auront le plus de copies exactes. C'est d'ailleurs à cette lapalissade qu'on doit l'illusion presque irrésistible de finalité que provoquent les effets de la sélection naturelle : puisqu'une formule actuelle n'existe que parce que certains antécédents ont existé, il est tentant de conclure que la première a été littéralement la raison d'être de ces antécédents. Car tout se passe comme si les cellules porteuses du patrimoine génétique manipulaient à dessein toutes les autres, dans le but de se reproduire intactes le plus souvent possible. Il faut donc s'attendre à ce que les gènes des métazoaires, pour se garder de tout autre souci, favorisent la production d'ensembles de cellules – de corps individuels – chargés de l'intendance de leur existence journalière, mais sans le pouvoir de modifier les gènes eux-mêmes. Mais pourquoi ne pas doter ces cellules somatiques de la capacité de se reproduire indéfiniment ? C'est que leur mission consiste, selon l'expression de Richard Dawkins (Le gène égoïste, tr. Laura Ovion, Armand Colin, 1990) à servir de « véhicule » au patrimoine génétique qui les a programmées, assez longtemps pour qu'il puisse se reproduire. Une fois leur mission remplie, les cellules somatiques sont inutiles. On peut donc penser qu'il suffirait de les abandonner à leur sort : ce qui impliquerait une mort probable, mais non certaine. Or, on a des raisons de croire que la mort de l'individu est elle-même programmée. Il s'agit ici du phénomène d'apoptose, ou auto destruction systématique, dont chaque cellule porte en elle, comme une bombe télécommandée, le logiciel qui attend d'être déclenché par un signal donné. Une simple observation laisse deviner pourquoi cette capacité d'auto-destruction a été sélectionnée : c'est que les cellules cancéreuses sont précisément celles qui s'en sont affranchies. Les cellules cancéreuses se reproduisent, peut-on dire, pour leur compte propre, sans égard ni pour l'organisme dont elles font partie, ni pour la formule génétique que ce dernier véhicule. On peut donc supposer que si le programme génétique dont la pureté est protégée par le mur de Weismann n'avais pas muni les cellules somatiques d'un tel logiciel de suicide sur commande, celles-ci risqueraient de dégénérer rapidement, précisément comme le font les corps cancéreux, avant d'avoir pu assurer la reproduction de la matière génétique qui les a programmées pour assurer sa propre survie.

Voilà donc, en résumé, la part du hasard et de la nécessité dans la logique serrée qui voue tout organisme métazoaire à la fois à la sexualité et à la mort. Cette logique lie quatre caractéristiques : la différentiation cellulaire, la ségrégation des cellules gamétiques et somatiques, la reproduction sexuée, et la mort organique des individus. Le hasard a d'abord permis l'échange génétique, puis la symbiose de cellules avec différentiation fonctionnelle. C'est la nécessité de se protéger contre l'accumulation de bévues dans la reproduction de l'ADN, qui a ensuite favorisé les autres caractéristiques : la reproduction sexuelle, la séquestration de la lignée somatique, et la mort du corps individuel. La lignée somatique n'est autre que le corps vivant et agissant de l'individu, qui est ainsi à la fois, et dans un but unique, doté d'une vie individuelle et voué à la mort. ■

Pour en savoir plus
● Sex and the Origins of Death, *de William R. Clark, Oxford University Press,* Oxford, 1996.

La vie sexuelle des bêtes

Par Geneviève Meurgues et Yves Girault,
professeurs au Muséum d'Histoire Naturelle, à Paris

■

Fécondation externe, insémination traumatique, rituel amoureux...
Si les mécanismes biologiques qui président à la fabrication d'un œuf
sont pratiquement invariables chez les espèces sexuées, les modalités
de la rencontre entre les gamètes mâle et femelle sont d'une infinie variété.

S'il est un domaine pour lequel la nature a fait preuve d'imagination, c'est bien celui de la sexualité. Les stratégies de rencontre des sexes, chez les végétaux aussi bien que chez les animaux, sont innombrables, parfois surprenantes.

Dans l'eau, tout est simple... ou presque. Mâles et femelles peuvent ne pas se rencontrer : c'est le cas des méduses, des oursins et de bien d'autres encore. A une période précise de l'année, lorsque température et salinité de l'eau sont propices, les ovules des femelles sont libérés ; ils émettent une substance caractéristique de l'espèce, une phéromone, qui attire les spermatozoïdes. L'un de ces spermatozoïdes fécondera l'ovule et il en résultera un œuf, sans que les individus se soient rencontrés. Parfois, à la période des amours, des rassemblements se produisent, souvent déclenchés par des facteurs climatiques (c'est le cas pour quelques espèces d'oursins). Ce comportement multiplie les chances de rencontre des gamètes. Néanmoins, ce mode de fécondation entraîne une perte importante de cellules sexuelles : un véritable gâchis. Les poissons qui vivent et se déplacent en bancs, comme les harengs ou les sardines, se reproduisent à période fixe, lors du frai. Les mâles poursuivent les femelles et là aussi la libération des ovules précède celle des spermatozoïdes,

La chimie de l'amour

A des périodes variant selon les espèces, tous les animaux cherchent un partenaire pour s'accoupler. Les médiateurs chimiques de la sexualité sont les phéromones et les hormones. Les premières sont sécrétées par des organismes et agissent hors de ceux-ci, alors que les deuxièmes sont biosynthétisées par des glandes dites endocrines et n'agissent qu'à l'intérieur de l'organisme qui les a fabriquées. Chez les animaux vertébrés, les chefs d'orchestre de la sexualité sont deux glandes situées à la base du cerveau : l'hypothalamus et l'hypophyse. Sous l'influence des facteurs externes (salinité de l'eau, température, luminosité, vie sociale, etc.), l'hypothalamus fabrique l'hormone hypothalamique, qui est acheminée par voie nerveuse vers l'hypophyse, où elle déclenche la biosynthèse des hormones hypophysaires. Par voie sanguine, ces dernières arrivent au niveau des glandes sexuelles – testicules et ovaires – et induisent la biosynthèse des hormones sexuelles : testostérone pour les mâles et folliculine pour les femelles. Ces hormones sexuelles sont responsables du dimorphisme sexuel et du comportement sexuel (œstrus, agressivité...). De plus, elles ont également une rétroaction sur l'hypothalamus.

G. M. et Y. G.

■ *Stratégies sexuelles, chants d'amour, offrandes*

Bestiaire amoureux

Le lion possède un pénis muni de bourrelets de chair, qu'il retire brutalement lors de l'accouplement. Chez la femelle, la douleur s'accompagne d'une inflammation qui déclenche la ponte ovulaire. Le coït se produit toutes les vingt minutes pendant la période de réceptivité.

Le bombyx du mûrier possède des antennes munies de détecteurs olfactifs qui leur donnent un aspect plumeux. La femelle émet des phéromones en relevant l'abdomen de sorte que les molécules sont entraînées par les courants d'air. Tous les mâles, même situés à plus de dix kilomètres, sont irrésistiblement attirés.

Les loups restent généralement chastes. Dans une meute, seul un couple, le couple « légitime » ou couple « royal », se reproduit. Ce mâle et cette femelle, par leurs comportements (port de tête et de queue) et au besoin par des attitudes plus menaçantes, inhibent ou empêchent toute activité sexuelle chez les autres loups.

Les libellules mâles ont des testicules et un pénis situés de part et d'autre de leur abdomen. Ces organes ne sont pas reliés organiquement. Le mâle doit donc d'abord procéder à l'approvisionnement en sperme de son pénis, en amenant celui-ci au contact de ses testicules. Puis il saisit une femelle consentante par le cou et s'élance avec elle pour un vol nuptial.

Les chevreuils s'accouplent en juillet. Comme la gestation dure 5 mois, les naissances devraient se produire en hiver, ce qui serait fatal aux petits. Heureusement l'œuf fécondé ne s'implante pas tout de suite dans la muqueuse utérine et la mise bas est retardée de plusieurs mois.

La mante religieuse, c'est bien connu, dévore fréquemment le mâle après l'accouplement. Mais c'est simplement parce que ses yeux ne lui permettent pas de discerner avec précision les objets. Elle confond donc son partenaire avec une proie. C'est au mâle d'être prudent et de sauter sur la femelle par derrière !

Les crapauds ne copulent pas. Le mâle monte sur la femelle sans la pénétrer. Cette étreinte déclenche la ponte d'une grappe d'œufs que le mâle féconde en les arrosant de son sperme. L'accouplement s'effectue dans l'eau, pour que les œufs puissent se transformer en têtards.

L'épinoche est un petit poisson d'eau douce. Le mâle construit un nid qui ressemble à un long tunnel. Il recherche ensuite une femelle à l'abdomen bien gonflé et l'invite à y entrer. En lui tapotant sur le ventre avec sa bouche, il la fait pondre et passe au-dessus des ovules pour déposer son sperme.

Les cigales, contrairement à la plupart des animaux, ne s'accouplent pas l'un sur l'autre, mais côte à côte. Ceci est dû à l'anatomie de la femelle. L'ouverture du vagin se situe au milieu du corps et le mâle ne possède pas un pénis assez long pour l'atteindre en se plaçant derrière elle. Il se positionne alors à son côté.

Les poulpes ont une bouche entourée de bras munis de puissantes ventouses. En période nuptiale, le troisième bras droit du mâle devient un organe copulateur appelé « bras hectocotyle ». Ses ventouses s'atrophient et une gouttière apparaît le long de laquelle chemineront les spermatozoïdes lors de l'accouplement.

Le scorpion mâle ne possède pas de pénis ; ses spermatozoïdes sont émis dans un spermatophore qu'il ne dépose sur le sol qu'en présence d'une femelle. Il va donc à la recherche de l'une d'elles et, la saisissant de ses pinces, l'invite pour une danse nuptiale qui ne cessera que lorsque la femelle se sera « empalée » sur le spermatophore, ce qui la fécondera.

Les oiseaux à berceaux vivent en Nouvelle-Guinée et en Australie. Les mâles élaborent des édifices faits de brindilles disposées autour d'un mât. Le sol est tapissé de mousses, de petits tas de fruits vivement colorés et de fleurs fraîches que l'oiseau remplace à mesure qu'elles fanent.

uptiales, parfums vénériens

Le grand albatros se livre à une extravagante danse nuptiale à la saison des amours. Mâle et femelle se dirigent l'un vers l'autre, de manière très bruyante. Cou tendu, bec pointé vers le ciel et ailes déployées, ils lèvent alternativement la patte droite puis la gauche.

Le grillon champêtre se livre à de véritables joutes sonores lors de l'accouplement. Installé devant son terrier, le mâle commence par lancer un chant de combat pour attirer un autre mâle. A l'issue d'un duel moins féroce qu'il n'en a l'air, le vainqueur reste propriétaire du territoire. Il émet alors son chant de cour pour inviter une femelle à un rituel amoureux.

Les lémuriens Maki mâles ont des glandes odorifères situées près des aisselles et d'autres en forme d'éperon corné sur l'avant-bras. Ils vivent en harems et délimitent leur territoire en frottant leurs glandes sur des branches ou des rochers. Ce marquage sert aussi bien à éloigner les autres mâles qu'à attirer les femelles.

Les manchots empereurs se livrent à des parades nuptiales au cours desquelles mâle et femelle chantent simultanément. Ce chant sera la « mémoire » du couple, et permettra aux partenaires de se retrouver dans une colonie de plusieurs milliers d'individus et même d'une saison à l'autre.

La méduse Pelagia noctiluca possède quatre gonades séparées de la cavité gastrique par une membrane. Celle-ci se rompt pour libérer, chez les femelles des ovules, et chez les mâles des spermatozoïdes, qui tombent dans la bouche puis dans l'eau, où la fécondation se déroule au petit bonheur la chance.

Le ver luisant émet une forte lumière par son abdomen. Dépourvue d'ailes, la femelle expose la face inférieure de son abdomen lors des belles soirées d'été. Elle attire ainsi les mâles qui eux peuvent voler. Ceux-ci émettent également des signaux visuels. La femelle répond alors en émettant davantage de lumière.

Les girafes vivent en harems. Au moment des parades sexuelles, elles manifestent des gestes d'attachement de plus en plus fréquents qui se traduisent par des frôlements de pattes, de tête et de cou, des lèchements, des œillades… Les périodes de réceptivité sexuelle se renouvellent tous les quatorze jours si la femelle n'est pas fécondée ; elles sont indépendantes de la photopériode et se produisent en toute saison.

sans qu'il y ait eu formation de couples. En revanche, il en va tout autrement avec les vers néréidiens et en particulier les platynéréïs, des vers marins vivant une grande partie de l'année sous les rochers, au fond de l'eau. A l'époque des amours, les platynéréïs remontent à la surface pour de curieuses danses nuptiales déclenchées par une substance chimique libérée par les femelles. Mâles et femelles de la même espèce se rapprochent, très excités. Des couples se forment et les partenaires entament une danse aux figures très précises, caractéristiques de l'espèce. A l'issue de la danse nuptiale, le corps de la femelle éclate, libérant les ovules, tandis que le mâle peut participer à d'autres danses. Des chercheurs ont isolé la substance chimique de *Platynereis dumerilii* et il leur suffit d'en verser une pincée dans l'eau où se trouve un mâle pour qu'il commence à danser. La remontée à la surface de ces vers marins est déclenchée par la lune, avec une grande précision dans le temps ; c'est ainsi que chaque année les vers palolos qui vivent dans les mers chaudes remontent à la surface par une belle nuit de novembre, presque toujours à la même heure, ils « dansent », les corps éclatent et les cellules sexuelles se répandent dans l'eau, lui donnant un aspect laiteux. Les vers sont pêchés, grillés et alors commence la fête du palolo.

La bouvière, petit poisson d'eau douce, a un bien curieux mode de procréation. La femelle ne sait pas, ne veut pas ou ne peut pas pondre ses ovules ailleurs que dans le corps d'une moule. A la période des amours, un long tube se développe à la face inférieure de son abdomen. Un mâle ayant repéré une femelle munie de cet appendice l'invite à le suivre auprès d'une moule qu'il s'est appropriée ; il l'incite à déposer ses ovules à l'intérieur du corps de celle-ci en introduisant son tube dans le siphon anal du mollusque. Le mâle lâche son sperme, que la moule aspire, et la fécondation se fera au niveau des branchies de la moule, ce qui va assurer aux œufs des conditions de protection idéales. Des expériences faites en aquarium montrent que le « tube de ponte » n'apparaît que si la femelle repère une moule. Si le tube a commencé à se développer et que l'on retire la moule du champ de vision de la bouvière, il va régresser, voire disparaître.

Le mâle de la perche *Haplochromis burtoni* emploie un bien curieux stratagème pour féconder les ovules que la femelle a emmagasinés dans sa bouche après les avoir pondus. Comme la plupart des animaux vertébrés mâles, ces petits poissons se parent de vives couleurs durant la période nuptiale ; le mâle est alors muni, sur sa nageoire caudale, de taches du format et de la couleur des ovules. La femelle, se méprenant, tente de les saisir dans sa bouche ; ce faisant, elle capte les spermatozoïdes que le mâle a libérés au cours de cette curieuse parade. La fécondation se fera dans la bouche de la femelle.

Hors de l'eau, tout se complique... L'une des grandes étapes de l'histoire des êtres vivants est l'adaptation à la vie hors du milieu aquatique ; les sorties des eaux des végétaux, des animaux invertébrés et vertébrés ont entraîné des modifications anatomiques, physiologiques et comportementales profondes s'agissant de la locomotion, de la respiration, de l'excrétion et bien entendu de la procréation. Comment faire pour éviter la dessiccation des gamètes ? La plupart des mâles des espèces animales terrestres sont munis d'un organe, le pénis, qui permet l'intromission des spermatozoïdes dans le corps de la femelle : il y a copulation. La fécondation se fera dans le corps de la femelle. Le pénis n'est toutefois pas l'apanage des animaux terrestres, certains animaux aquatiques pratiquant eux aussi la copulation : c'est le cas des baleines. La formation d'un couple s'impose donc, et les moyens de séduction de l'un ou l'autre des partenaires, dont le résultat est l'accouplement, peuvent laisser perplexe. Mais comment font les animaux terrestres qui ne possèdent pas de pénis ? Leurs spermatozoïdes sont protégés dans une sorte de petit sac étanche : le spermatophore. Le mâle le dépose sur un support, généralement fixé à l'extrémité d'une tige : sol, brin d'herbe, fil... et ensuite, c'est l'aventure !

Liaisons reptiliennes

Chez les reptiles, l'accouplement peut s'effectuer sans pénis, avec un seul pénis, ou avec deux pénis (hémipénis) !

Les rhynchocéphales n'ont pas de pénis. Le mâle chevauche la femelle pour glisser sa queue sous celle de sa compagne. Les cloaques entrent en contact, et les spermatozoïdes passent de l'un à l'autre. Les tortues et les crocodiles, eux, ont un pénis. Chez les tortues, l'accouplement requiert des postures d'équilibriste. Le plastron ventral du mâle est légèrement concave, ce qui permet la stabilité durant la copulation. L'alligator s'accouple dans une eau peu profonde : la femelle soulève sa queue légèrement afin de faciliter la pénétration. La copulation ne dure que quelques minutes. Quant aux hémipénis, ils se rencontrent chez tous les serpents et lézards. Contrairement au pénis, l'hémipénis n'est pas un tube creux, mais un organe en forme de sac creusé par une rainure qui draine le sperme lors de l'éjaculation.

L'accouplement des lézards est brutal : le mâle maintient la femelle en la mordant. Selon les espèces de serpents, la copulation peut durer de 10 minutes à plus de 24 heures. La parthénogénèse (reproduction asexuée dans laquelle l'œuf se développe sans avoir été fécondé) se rencontre chez de nombreux lézards. Les femelles se reproduisent entre elles. Des comportements pseudosexuels ont été étudiés en captivité. Les espèces qui utilisent la parthénogénèse semblent se multiplier plus vite que les formes bisexuées. Mais lors d'une modification brutale du biotope, ou lors d'apparition de maladies, elles seraient incapables de s'adapter. L'embryon d'un œuf de crocodile ou de tortue fraîchement pondu n'a pas de genre. Durant les premières semaines d'incubation, la température détermine si l'embryon sera mâle ou femelle. Au-dessous de 30°C, les œufs de tortues ne donnent que des mâles, et au-dessus que des femelles. L'inverse se produit chez les crocodiles.

Françoise Serre-Collet
Société herpétologique de France

Le polyxène, un tout petit mille-pattes qui vit sous les écorces de platane, a la faculté de fabriquer des fils de soie. Savoir-faire dont il ne se prive pas à la période des amours : il dépose sur son tissage des gouttelettes spermatiques, puis s'en va... Peu lui importe le devenir de ses spermatozoïdes. Il arrive qu'un autre mâle, empruntant le même chemin, avale les gouttelettes et en dépose de nouvelles, plus fraîches. Une femelle attirée par l'odeur spécifique s'en approche, aspire alors le sperme à l'aide de ses vulves et se féconde sans l'intervention directe du mâle.

Plus surprenants encore sont les collemboles, petits insectes vivant sous les feuilles mortes de nos forêts : ils sont dépourvus d'ailes, mais munis d'une perche à saut, la furca, qui leur permet d'effectuer des bonds considérables en fonction de leur poids. Certains mâles déposent sur le sol de véritables palissades de spermatophores et partent à la recherche de femelles, qu'ils invitent avec plus ou moins de

Les hermaphrodites sont-ils bisexuels ?

L'escargot est un animal hermaphrodite : il possède à la fois les sexes mâle et femelle. Mais ce n'est pas pour autant qu'il s'autoféconde. La nature a rarement retenu l'autofécondation pour les organismes hermaphrodites, qu'ils soient végétaux ou animaux. Les escargots s'accouplent, dans nos régions, au tout début du printemps et alors leur glande hermaphrodite fonctionne comme un testicule. Les parades varient selon les espèces et peuvent durer plusieurs heures. Les deux partenaires tournent autour l'un de l'autre, ils peuvent s'envoyer des dards calcaires, sortes de petites flèches qui pénètrent la peau sans créer de blessures. A l'issue de ces parades, ils bavent beaucoup, les pénis pénètrent dans les vulves et les spermatozoïdes sont échangés. Ils sont mis en réserve dans de petites poches et conservés jusqu'à ce que, un peu plus tard en saison, la glande hermaphrodite fonctionne comme

un ovaire. Les ovules sont alors fécondés par les cellules mâles du partenaire. Les œufs sont ensuite pondus, mais c'est une autre histoire...
Etre à la fois mâle et femelle, c'est-à-dire posséder une glande mixte, est assez fréquent chez les vers et les mollusques. S'accoupler afin de pratiquer la fécondation croisée oblige à des comportements qui n'ont rien à envier à l'imagination humaine ! Le mollusque nudibranche aplysie, aussi appelé lièvre de mer, est dépourvu de coquille et hermaphrodite. Il n'est pas rare, à la saison des amours, de trouver plusieurs de ces animaux – parfois jusqu'à une dizaine, nageant à la queue leu leu. En fait, ils sont accouplés et fonctionnent comme mâles avec les individus placés devant eux et comme femelles avec ceux placés derrière. Il y a alors échange de spermatozoïdes. *Crepidula fornicata* est lui aussi un mollusque hermaphrodite,

mais muni d'une coquille. Il présente la particularité de changer de sexe en vieillissant : jeune, il est mâle, pour devenir femelle lorsqu'il est plus âgé, avec une phase de sa vie durant laquelle il n'est ni l'un ni l'autre ! Cette espèce pratique aussi la fécondation croisée et son mode d'accouplement peut sembler complexe. Nous pouvons facilement trouver, en se promenant sur des plages normandes, des empilements de coquilles bien soudées les unes aux autres ; ce sont les restes de ces mollusques étranges. A la saison des amours, ils se sont fécondés ainsi : un premier individu jeune, donc mâle est recouvert par un autre et ainsi de suite... Avec le temps, leur sexualité évolue : l'individu du bas de la pile est devenu femelle, tandis que celui qui est au-dessus est mâle, et que ceux du milieu ne sont plus rien – provisoirement. C'est le mâle, muni d'un pénis en conséquence, qui féconde la femelle.   G. M. et Y. G.

Sexualité et lumière

Dans nos régions tempérées, dès la fin du mois de janvier, lorsque les jours s'allongent, les oiseaux gazouillent et se battent. Pourquoi cette excitation ? C'est la variation de la longueur des jours et des nuits, en un mot la lumière, qui déclenche le comportement sexuel chez les oiseaux sauvages. Ces animaux vivent un repos sexuel quasi total d'environ dix mois, leurs gonades – glandes sexuelles – réduites à de simples filaments. La lumière qui pénètre par leurs yeux, mais aussi par les os de leur crâne, déclenche, au niveau de l'hypothalamus, la biosynthèse de l'hormone hypothalamique. Le processus physiologique est enclenché : testicules et ovaires se développent et les hormones sexuelles font le reste.

Des expériences ont été réalisées avec des canards de la race pékin ; certains ont été élevés tout à fait normalement, d'autres ont passé une année avec un capuchon sur la tête mais les yeux dégagés et pour un troisième groupe, le capuchon recouvrait aussi les yeux. Les résultats ont montré que pour les premiers, le moment venu, leur sexualité s'est exprimée de façon normale, selon toute attente ; pour les seconds, malgré le capuchon, mêmes résultats, la lumière ayant pu pénétrer par les yeux et induire la biosynthèse des hormones ; en revanche, pour les canards privés de lumière, pas de période des amours cette année-là !

G. M. et Y. G.

délicatesse à s'approcher de leur œuvre ; là, ils les poussent de telle sorte qu'elles ne puissent éviter les spermatophores, qui vont éclater en libérant les spermatozoïdes. Et c'est alors que les femelles seront fécondées. Il n'y a pas vraiment formation d'un couple mais à la différence des polyxènes, les mâles des collemboles se « préoccupent » du devenir de leurs gamètes.

Lorsque les mâles sont équipés de l'organe copulateur, le pénis, il en va tout autrement. L'accouplement s'impose et c'est généralement le mâle qui cherche à séduire la femelle. Pour se rencontrer – pour séduire – des chants, des parfums, des offrandes, des danses... tout a été inventé !

Par exemple en septembre, les cerfs de France ont une activité sexuelle très bruyante. En effet, par leurs brames, les mâles tentent d'attirer sur leur territoire le maximum de femelles, afin de former de grands « harems ». Ces mêmes cris ont pour effet de repousser de nombreux concurrents, mais seul un combat départagera les derniers en lice. Qui trop embrasse mal étreint, dit une maxime qui s'applique aussi aux cervidés car il n'est pas rare que, dans les grands harems, de jeunes cerfs parviennent à s'accoupler avec les biches du harem, car le cerf dominant n'arrive pas à défendre tout son territoire.

Les petits cadeaux, s'ils entretiennent l'amitié, peuvent aussi faire partie d'une stratégie sexuelle. Les moucherons empididés le « savent » bien : les mâles de ces insectes carnivores ont la faculté de sécréter de la soie et ils fabriquent pour leur dulcinée de véritables paquets-cadeaux, petits cocons enrobant une proie fraîchement capturée. En vol, le mâle repère une femelle et lui offre son présent ; toujours en volant, la femelle ouvre la boulette de soie pour y découvrir ce dont elle est friande, et se glisse sous le séducteur : l'union est consommée ! Le comportement de ces petits moucherons a été étudié par les éthologues et les résultats de leurs recherches montrent que les mâles – peu délicats – de certaines espèces d'empididés offrent une proie sans l'enrober, tandis que d'autres mâles offrent des paquets-cadeaux vides ! Mais ces espèces se perpétuant malgré cela, il est à croire que les femelles sont consentantes. Ces comportements peuvent avoir pour but de la part du mâle de détourner la voracité de la

Odeurs aphrodisiaques

Fréquemment le partenaire sexuel est repéré grâce à une odeur ou un parfum. Ici entre en jeu une substance chimique appelée phéromone et généralement sécrétée par une glande ; elle doit pouvoir être détectée de très loin et le champion dans ce domaine semble être un papillon dont la chenille n'est autre que le ver à soie : *Bombyx mori*. La femelle possède, à l'extrémité de l'abdomen, deux glandes qui sécrètent une phéromone dont la formule chimique est bien connue, le bombycol. Quelques molécules de cette substance sont perceptibles de très loin par le mâle. Ces phéromones n'agissent que sur les partenaires de la même espèce.

Les papillons ont le corps recouvert d'écailles. Chez certaines espèces et uniquement chez les mâles certaines de ces écailles sont parfumées : il s'agit des androconies, véritables petits flacons à parfum ; examinés au microscope électronique à balayage, ils révèlent une grande diversité de formes. A la période des amours, les mâles dansent et au cours de cette danse nuptiale, certaines écailles s'envolent et vont se ficher sur les antennes des femelles, où sont situés les organes de l'olfaction. La substance aphrodisiaque a pour effet de rendre la femelle apte à l'accouplement.

L'odorat joue aussi un rôle très important dans la rencontre des partenaires chez les mammifères. Dans le cas des chiennes en chaleur, les pertes sanguinolentes que l'on constate à cette période physiologique ne doivent pas être confondues avec des règles : ces sécrétions renferment en réalité des phéromones perceptibles par le chien, même de très loin. L'acuité olfactive et le pouvoir attractif des phéromones ont trouvé des applications en agriculture, pour lutter contre des insectes parasites. Les insecticides non sélectifs, dangereux pour la faune et les humains, sont peu à peu remplacés par la lutte biologique. Un groupe de chercheurs de l'Inra (Institut national de la recherche agronomique), à Bordeaux, vient de démontrer l'intérêt de ce mode d'élimination des phytoparasites.

L'eudémis de la vigne, *Lobesia botrana*, appelé communément « ver de la grappe », est une chenille qui détruit les vignobles de l'Europe du Sud. Elle s'attaque aux raisins et favorise l'installation de la pourriture grise sur les blessures qu'elle a occasionnées. Dans le bordelais, où son action est redoutée, cinq à six traitements chimiques s'imposent chaque année, ce qui n'est pas sans conséquence car ils favorisent la pullulation d'un acarien, le *Tetranychus sp*. D'où l'intérêt des recherches pour une lutte biologique.

Le principe consiste à brouiller la communication entre les mâles et les femelles afin de les empêcher de s'accoupler, donc de se féconder, et d'éviter la ponte des œufs desquels sortent les chenilles. Pour ce faire, des diffuseurs contenant une phéromone de synthèse, identique à la phéromone de la femelle, sont placés sur les sarments de vigne avant l'éclosion des papillons. Les mâles sont attirés par l'odeur, alors que les femelles sont absentes, d'où l'expression de « lutte biologique par confusion sexuelle ». Les accouplements sont rares ou nuls et les chenilles parasites tendent à disparaître.

G. M. et Y. G.

femelle, beaucoup plus volumineuse que lui. La pratique de l'offrande nuptiale pour séduire une femelle et l'amener à l'accouplement est fréquente chez les oiseaux. S'offrent volontiers des poissons, des petits cailloux, des fleurs, des objets brillants... Par exemple, chez les « hirondelles de mer » qui vivent dans le bassin d'Arcachon, le mâle offre un poisson à la femelle dont il convoite les faveurs.

Des parades nuptiales, au cours desquelles de véritables « danses rituelles » se pratiquent, sont fréquemment à l'origine de la formation du couple chez les oiseaux. Parfois, c'est le mâle qui parade devant une femelle qui semble indifférente ; et pourtant, de petits gestes significatifs font comprendre à « l'artiste » qu'elle est séduite et apte à l'accouplement. Les parades des tétras sont assez complexes ; si d'une espèce à l'autre certaines attitudes sont semblables – cou raide et gonflé, ailes pendantes, queue dressée et étalée –, des parures spécifiques font la différence. Les tétras américains possèdent des poches de peau nue et colorée, cachées normalement sous les plumes, mais se gonflant et se colorant en rouge pour le tétras obscur et en jaune pour le tétras cupidon pendant la période nuptiale. Ces poches sont autant de caisses de résonance pour des cris ventriloques qui sont perceptibles de très loin par les femelles. Les oiseaux de paradis, au dimorphisme sexuel très prononcé, les mâles étant richement colorés, surtout après la mue prénuptiale, se prêtent à de bien singulières parades avec danses rituelles, chants, postures acrobatiques de la part du mâle. Ces parades ont presque toujours pour objet de mettre en évidence l'ornementation des plumes.

Les exemples de comportements amoureux qui nous semblent pittoresques ou imaginatifs ne manquent pas. Il en existe presque autant que d'espèces animales. ■

Pour en savoir plus
● *Le sexe et l'innovation*, A. Langaney, éditions du Seuil, Collection Points Sciences,Paris, 1979. ● *Les stratégies sexuelles des animaux*, A. Teyssèdre, Nathan, Collection Science et nature, Paris, 1995.

Les neurones de l'amour

Par Antonio Fischetti
et Patrick Jean-Baptiste

■

Le « coup de foudre » existe-t-il ? Quelle est la traduction physiologique
du désir ? Qu'est-ce que l'orgasme ? Sans prétendre réduire l'amour
à des combinaisons chimiques, la neurobiologie apporte un éclairage
inédit sur l'expérience intime du plaisir sexuel.

Le « coup de foudre »

Comme chaque samedi, Jim sirote un
dernier verre dans un piano-bar. Soudain,
son cœur s'emballe. Cette longue chevelure
brune flottant sur des épaules dénudées,
ces yeux noirs si profonds, rien que de très
banal. Mais Jim sait que la jeune femme qu'il
vient d'apercevoir n'est pas comme les
autres. Sans qu'il puisse s'expliquer
pourquoi, il se sent irrésistiblement attiré. Le
jeune homme est loin de penser qu'un tel
« coup de foudre » prend sa source dans le
phénomène dit de l'« empreinte précoce » qui
le pousse inconsciemment à retrouver les
émotions « marquantes » de son enfance.
Les longs cheveux lui rappellent-ils ceux de
sa mère, les yeux noirs, ceux d'une petite
fille dont il était jadis amoureux ?
L'attachement précoce est bien connu des
éthologistes, qui l'ont mis en évidence chez
de nombreux animaux, comme ces poussins
qui adoptent pour mère le premier objet
mouvant rencontré. Certains traits physiques
sont reconnus de manière privilégiée par le
cerveau et inconsciemment perçus comme
des appels sexuels. C'est le cas de la
dilatation des pupilles à la vue d'une chose
aimée, qui rend aimable le plus inexpressif
des visages. L'expérience en laboratoire
montre qu'entre deux visages identiques, les
hommes préfèrent celui dont les pupilles ont
été artificiellement dilatées. Les lèvres dont
le rouge est accentué par le maquillage sont
elles aussi dotées d'un fort pouvoir érotique
car, selon le zoologiste Desmond Morris (« Le
singe nu », Grasset, 1968), elles évoquent
inconsciemment les lèvres vaginales. Quant
aux seins, habilement rehaussés par les
soutiens-gorge, ils rappelleraient les fesses,
incontournables invitations à l'accouplement
chez nos cousins les primates. Au cours
de l'évolution, la station debout a modifié la
physionomie féminine, privilégiant
les signaux sexuels sur la partie avant
du corps. Julie a également remarqué le
jeune homme. Comme beaucoup de
femmes, elle est plutôt sensible aux signes
extérieurs de puissance physique – comme
la largeur des épaules, amplifiée par les
épaulettes de la veste – et de prestige
social. Mais les convenances l'empêchent
d'afficher un intérêt trop manifeste.
Elle détourne les yeux.

Parades sexuelles

La musique s'atténue et la foule se disperse. Jim s'approche discrètement du bar où Julie se tient. « *Je vous offre un verre, mademoiselle ?* », lui sussure-t-il à l'oreille. L'offrande d'aliments est une ritualisation que l'on observe chez de nombreuses espèces animales sous la forme de « cadeaux nuptiaux ». Par exemple, les oiseaux s'offrent graines, insectes ou poissons, selon les espèces. De tels comportements sont destinés à mettre la femelle en état de réceptivité.

Au fur et à mesure de leur conversation, les jeunes gens se découvrent de nombreux centres d'intérêt communs. On joue un jazz lent. Jim invite Julie à danser. Cette activité peut être comparée à la parade nuptiale des animaux. En exhibant leurs couleurs, en exécutant une chorégraphie sophistiquée ou en affrontant leurs concurrents du même sexe, les mâles s'efforcent d'attirer l'attention des femelles. Parader revient alors à démontrer sa force, sa bonne santé, une agilité rassurante qui promet une saine descendance, la garantie d'avoir de beaux enfants. Bien sûr Jim et Julie sont encore loin de telles préoccupations. La danse est surtout prétexte à une plus grande intimité. En outre, certaines danses miment d'une manière claire l'acte amoureux lui-même, l'intégrant dans un contexte social.

Jim se penche et sourit à sa partenaire. Après une légère hésitation, elle répond à ce sourire et ses joues s'empourprent légèrement. Le sourire est un signe universel. L'éthologiste Eibl-Eibesfeldt a montré qu'il est reconnu comme un signe d'amitié chez tous les peuples. Il pourrait résulter de l'évolution d'une mimique de soumission semblable à celles que l'on trouve chez certains primates. Les danseurs se regardent dans les yeux, se comprenant déjà. Quittant le bar, ils vont s'asseoir à une table isolée, dans la pénombre.

Effluves érotiques

Jim s'approche délicatement de Julie, qui se sent elle aussi impulsivement attirée par le jeune homme. Sans en comprendre les raisons, ils savent l'un et l'autre que « le courant passe ». Cette attraction réciproque serait due en partie à l'action des phéromones, des substances chimiques volatiles inodores mais qui agissent à une distance de quelques mètres. Car malgré leur propreté irréprochable, Jim et Julie en diffusent des quantités, mélangées à la sueur du creux de leurs mains et de leurs aisselles. On pense que l'androsténol est l'une d'entre elles. Les phéromones auraient un effet sur le comportement humain, comme l'a montré l'expérience suivante : plusieurs chaises sont disposées dans une salle d'attente ; sur l'une d'elles une quantité infinitésimale d'exaltolide, l'équivalent industriel de l'androsténol, est vaporisée. Pratiquement toutes les femmes

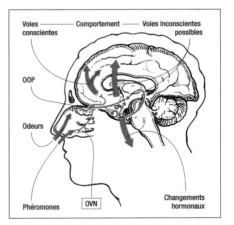

Double-nez
Contrairement aux odeurs, détectées par l'Organe Olfactif Principal (OOP), les phéromones ne sont jamais perçues consciemment. Après s'être fixées sur l'Organe Voméronasal (OVN), elles engendrent des changements hormonaux et, semble-t-il, comportementaux.

qui entrent dans la pièce choisissent cette chaise, alors que tous les hommes semblent la bouder ! En 1994, une équipe américaine a montré que l'organe voméronasal humain, ou organe de Jacobson (schéma page précédente), situé dans le nez, réagissait aux effluves de peau. On connaissait depuis longtemps son importance chez le hamster, mais la preuve est maintenant faite qu'il est également actif chez l'être humain.

Une autre expérience a révélé que par la simple action des phéromones, les rates ovulent à proximité des mâles, même si elles ne les voient pas. Chez l'être humain aussi, les phéromones pourraient avoir un effet sur l'équilibre hormonal. Une hypothèse qui expliquerait la synchronisation des règles dans les communautés de femmes, religieuses notamment.

La montée du désir

A la fermeture du bar, Jim a raccompagné Julie au pied de son immeuble. Ni l'un ni l'autre n'ont voulu se séparer et c'est tout naturellement que Julie lui a proposé un dernier verre. Assis sur le canapé, Jim se sent envahi par une incoercible envie de caresser la longue chevelure, de poser ses lèvres sur la bouche entrouverte. Leurs bouches se rencontrent avec volupté. Lors de cet élan, ils subissent l'action sous-jacente de leur système dopaminergique, centre de la tension désirante. Il s'agit d'un faisceau nerveux, issu des cellules de la substance noire, qui se ramifie dans différentes régions cérébrales, dont le noyau caudé, l'hypothalamus et le cortex, et y libère de la dopamine, un des plus importants neurotransmetteurs du cerveau (schéma ci-contre).

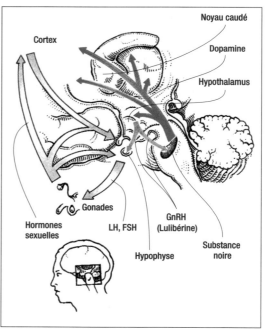

La clef du désir
La lulibérine (GnRH) induit la sécrétion des hormones sexuelles, par le biais des gonadotropines (LH, FSH). Elle orienterait aussi le système dopaminergique vers le désir sexuel.

On doit la découverte du rôle de ce faisceau à une expérience célèbre réalisée par le physiologiste James Olds en 1954. Une électrode est placée dans le système dopaminergique du cerveau d'un rat. Si on donne à l'animal le moyen d'activer l'électrode en appuyant sur un levier, il le fait sans interruption aux dépens de toute autre exigence, au point de se laisser dépérir. Tout se passe comme s'il était sous l'emprise d'un besoin impérieux qu'il tente frénétiquement d'assouvir. A l'inverse, une lésion complète du système dopaminergique provoque la catatonie, ou immobilité complète et degré zéro de l'intention.

Les pulsions sexuelles

Devenus insupportables aux corps enfiévrés, les vêtements se répandent aux quatre coins de la pièce. Les battements du cœur s'accélèrent, les glandes sudoripares fonctionnent à plein régime. Cet émoi est attribué à l'influence du système limbique, une partie profonde du cerveau associée aux émotions primordiales comme le bien-être. Certains noyaux de l'hypothalamus de Jim sont infiltrés par la dopamine. Ils produisent alors une plus grande quantité de lulibérine ou GnRH, un neuropeptide composé de plusieurs acides aminés (schéma ci-dessus). Celui-ci va à son tour faciliter la libération de la dopamine. La boucle s'auto-amplifie jusqu'au moment décisif où toute la tension accumulée est libérée par l'orgasme. D'après le neurobiologiste Jean-Didier Vincent (« Biologie des passions », Odile Jacob, 1986), la lulibérine aurait la faculté d'orienter

le système dopaminergique dans un but sexuel. Elle serait la « clef du désir amoureux ». La dopamine est liée au désir en général, comme l'envie de boire ou de manger, tandis que la lulibérine transforme ce désir en pulsion sexuelle.

Par ailleurs, la lulibérine imprègne l'hypophyse antérieure, une petite glande accrochée à l'hypothalamus, ce qui provoque la sécrétion de deux hormones, la LH (Luteinising Hormone) et la FSH (Follicule Stimulating Hormone) qui agissent sur les testicules et les ovaires. Ces gonades sécrètent des androgènes et des œstrogènes, les hormones sexuelles masculines et féminines respectivement. Parmi les androgènes, la testostérone semble contribuer chez l'homme, à l'ardeur et à la création des fantasmes sexuels. Quant aux œstrogènes, leur rôle est beaucoup moins connu.

Les caresses

Jim et Julie sont maintenant allongés sur le canapé, tendrement enlacés. L'amant découvre l'excitation de sa compagne. L'intumescence, équivalent féminin de l'érection, se révèle par la dilatation du vagin due à la contraction involontaire des muscles lisses de ses parois, leur lubrification (transsudat sanguin et lymphatique), la congestion sanguine des lèvres et un redressement du genou clitoridien. La profondeur du vagin est augmentée de quelques centimètres. Une vasodilatation superficielle provoque une rougeur de la poitrine et une turgescence de l'aréole des seins. Tous ces mécanismes sont sous la dépendance du système nerveux autonome parasympathique.

Les caresses de Julie contribuent à la mise en condition de Jim. Le contact physique sur le pénis engendre un réflexe local qui complète l'excitation cérébrale.

Jim est maintenant saisi d'une érection

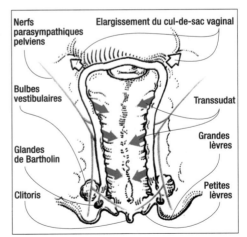

Intumescence
Pendant l'élargissement du cul-de-sac vaginal, les parois du vagin s'humectent d'un transsudat lubrifiant d'origine sanguine. Les grandes lèvres et le clitoris se gonflent de sang.

suffisante pour enfiler le préservatif qu'il tenait à portée de main. L'érection relève également du système parasympathique, lui-même sous le contrôle d'une zone antérieure de l'hypothalamus. L'érection est amorcée par un neuropeptide, le VIP (Vasoactive Intestinal Peptid), sécrété par les nerfs érecteurs d'Ekhard, ou branches terminales des nerfs parasympathiques, au niveau des corps caverneux du pénis.

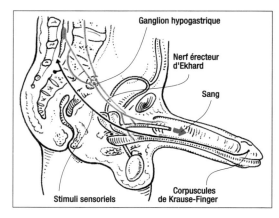

Ganglion hypogastrique

Nerf érecteur d'Ekhard

Sang

Corpuscules de Krause-Finger

Stimuli sensoriels

Le monoxyde d'azote, gaz synthétisé dans les terminaisons nerveuses, joue également un rôle vasodilatateur. Il s'ensuit un afflux de sang consécutif à un relâchement des muscles lisses à l'intérieur des corps caverneux (disposés comme des attelles de part et d'autre du pénis) et dans une moindre mesure, du corps spongieux (le gland et la gaine qui entoure l'urètre). Pour obtenir une érection complète, le retour veineux doit être obturé. Cette phase ultime se réalise par le gonflement de la verge qui bloque les veines habituellement destinées à l'évacuation du sang. Dans le pénis, la pression est alors multipliée par 17. Jim peut aussi le redresser en contractant volontairement certains muscles striés de son plancher pelvien.

Erection
La stimulation des récepteurs sensoriels engendre un réflexe parasympathique responsable d'une augmentation du flux sanguin.

La fusion charnelle

Brûlants de désir, les amoureux s'unissent enfin. Leurs regards se pénètrent en écho à leur communion sexuelle. D'après Jean-Didier Vincent, c'est la primauté du regard qui conduirait l'homme à copuler face à face, contrairement aux animaux. Cependant, nos plus proches cousins, les chimpanzés nains (bonobos), pratiquent aussi la « position du missionnaire » ! En fait, ce qui différencie vraiment Jim et Julie de simples primates serait leur faculté de faire l'amour selon leur bon vouloir, qui n'est pas forcément dicté par les hormones. Chez les animaux, l'œstradiol, hormone féminine sécrétée par les ovaires surtout en milieu de cycle, est responsable de la période de réceptivité. On parle d'œstrus chez les femelles de pratiquement tous les mammifères, pour qualifier cette brève période où l'ovulation coïncide avec

l'accouplement. En dehors de ces périodes, l'abstinence est de rigueur. Ce qui n'est visiblement pas le cas pour nos deux protagonistes, bien que Julie ne soit pas en milieu de cycle. Toutefois, des fluctuations de la libido féminine ne sont pas à exclure. Une enquête effectuée par le chercheur américain John Bancroft a montré que la période d'apogée sexuelle la plus fréquente chez les femmes se situe dans la semaine qui suit l'ovulation. Elle serait la conséquence, d'après Bancroft, d'une montée des taux de testostérone (sécrétée chez les femmes par les glandes surrénales) au milieu de leur cycle menstruel. Une conclusion surprenante puisqu'il s'agit avant tout d'une hormone masculine. En revanche, la progestérone, qui est produite après l'ovulation, aurait un effet inhibiteur sur la réceptivité sexuelle.

Les zones érogènes

Les organes sexuels sont en contact intime, le pénis érigé va et vient à l'intérieur du vagin de Julie, au rythme accentué d'un plaisir toujours plus vif. Les psychologues américains Masters et Johnson (« Les réactions sexuelles », Robert Laffont, 1966) ont appelé ce moment du coït « la phase en plateau ». Elle se poursuit jusqu'à l'orgasme et se caractérise par un état de lubrification intense du vagin, grâce aux glandes de Bartholin, localisées derrière les petites lèvres.

Les zones érogènes sont très diverses et varient selon les individus ; quant au fameux point G, paraît-il placé sur la face antérieure de la base du vagin, il fait encore l'objet de nombreuses polémiques.

Cependant, la région anatomique correspondant au clitoris et au tiers externe du vagin a une origine embryologique différente de celle du reste de l'appareil copulatoire. Elle est issue du même feuillet embryonnaire que le système nerveux. Elle est donc restée particulièrement innervée et sensible.

C'est pourquoi une stimulation directe du vagin procure une sensation agréable certes, mais plus diffuse que celle du clitoris.

Quoiqu'il en soit, du point de vue physiologique, la transformation du stimulus sexuel et son transfert vers les centres nerveux sont de même nature, qu'il s'agisse du vagin ou du clitoris.

Chez Jim, le frottement excite surtout une certaine catégorie de récepteurs sensoriels cutanés, disposés à la base de son gland, les corpuscules de Krause-Finger. Leur stimulation rythmée est ressentie comme un plaisir aigu au cour de l'acte et annonce déjà l'orgasme.

Le coït s'accélère et mobilise l'intégralité du système nerveux autonome, qui dirige l'ensemble des fonctions végétatives (respiration, battements cardiaques, etc.). Sous son contrôle, le cœur brasse davantage de sang et augmente l'oxygénation de muscles généralement délaissés. Les

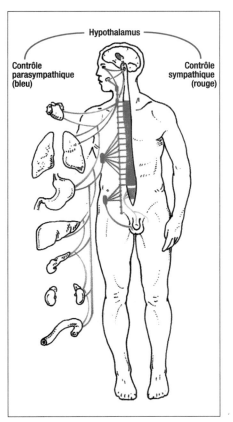

Les nerfs végétatifs
L'acte sexuel dépend de deux composantes antagonistes du système nerveux : le parasympathique maintient le sexe en condition pendant l'acte, et le sympathique intervient lors de l'orgasme.

muscles fessiers et abdominaux de Jim se contractent au moment de la pénétration. Quant à Julie, l'écartement de ses cuisses fait intervenir les muscles adducteurs. Cette liste étant loin d'être exhaustive, laissons nos fougueux amants tester quelques-unes des nombreuses positions que l'imaginaire humain n'a pas manqué d'inventer.

L'orgasme

Julie a déjà éprouvé deux orgasmes, tandis que Jim se retient désespérément en songeant à son redressement fiscal. Mais le point de non retour est vite atteint. Les récepteurs sensoriels ne cessent d'envoyer des salves de signaux électrochimiques en direction des zones d'intégration cérébrale. Le plaisir devient extrême, à la limite du tolérable. Le cœur tambourine et la respiration devient haletante. Parmi la diversité des signaux échangés au cour de l'acte sexuel, la communication sonore est primordiale. C'est elle qui révèle en général, l'imminence de l'orgasme. Les muscles du tiers externe du vagin de Julie se contractent alors en cadence. Cette fois Jim n'en peut plus et s'abandonne. C'est le début d'une réaction explosive, comparable à ce qu'a déjà ressenti Julie.

La profusion d'informations rythmées éveille d'autres centres du cerveau jusque là relativement peu actifs, notamment le septum, une partie du système limbique, les amygdales et les noyaux hypothalamiques. L'activité électrique de ces régions, relativement éloignées les unes des autres, se synchronise progressivement. Cet état présente certaines similitudes, toutes proportions gardées, avec une épilepsie partielle. La synchronisation de l'activité cérébrale, se ferait l'écho, selon Jean-Didier Vincent, des mouvements coïtaux.

A ce stade de libération, un acteur physiologique se substitue à tous les autres : le système sympathique (voir schéma page 41). Il va déclencher en Jim la contraction des canaux déférents, structures conduisant le sperme depuis les testicules jusqu'à l'entrée de la prostate, où il est stocké. Là, la pression augmente brutalement. Un processus réflexe relâche le goulot d'étranglement qui retenait sa semence et contracte les muscles du périnée à la racine de la verge. Son sperme est ensuite projeté vers l'extérieur à travers l'urètre. L'éjaculation comprend une série de 5 à 8 contractions, qui se produisent toutes les 0,6 secondes, et fournit en moyenne 4 millilitres de sperme. Chaque millilitre contient entre 25 et 150 millions de spermatozoïdes. Le sperme est une substance complexe qui n'est pas produite par les seules testicules. Il se constitue en traversant les vésicules séminales et la prostate, et s'enrichit alors de nombreuses sortes de protéines. Chez certaines femmes, au moment de l'orgasme, de petites glandes analogues à la prostate masculine projet-teraient dans l'urètre une petite quantité de fluide, l'équivalent féminin de l'éjaculation. Un phénomène différent de celui, encore mystérieux, des « femmes fontaines », qui libèrent un important volume de liquide.

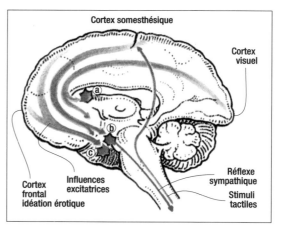

Les voies de la volupté
Sous l'impulsion croissante de plusieurs régions corticales (en bleu), le septum (a), l'hypothalamus (b) et l'amygdale (c) synchronisent leur activité. Cette épilepsie partielle provoque en retour l'éjaculation ou les contractions vaginales, réflexes impliquant le système nerveux sympathique (en rouge).

Le répit

Exténués de plaisir, les amants sont en proie à une douce lassitude. La « petite mort » qu'ils viennent de subir leur a fait palper un instant d'éternité. Pour Jean-Didier Vincent, il ne faut pas confondre le plaisir et l'orgasme, ce laps de temps qui fait d'une « ménagère ordinaire l'égale de sainte Thérèse d'Avila ». Alors que le premier a toujours un « goût de revenez-y », le second agit davantage comme « un détergent chargé d'annuler le désir ». Quant au bien-être qui suit l'amour, il serait dû à la sécrétion dans le cerveau d'endorphines, neuropeptides qui contribuent à la sensation de délassement. Toute poursuite du coït est devenue difficile et même douloureuse dans l'immédiat. Cette période réfractaire, dite alliesthésie, est atteinte en général juste après l'orgasme chez l'homme. En effet, l'érection n'est pas un phénomène permanent, sauf chez ceux qui souffrent de priapisme, une affection très douloureuse. On a cependant relaté quelques cas, rares il est vrai, d'hommes « multi-orgasmiques » capables de jouir plusieurs fois de suite. Jim quant à lui aurait plutôt envie de s'assoupir. Une tendance masculine apparemment répandue, bien qu'aucune observation scientifique n'ait, jusqu'à présent, réussi à complètement l'expliquer. Le retour à la normale est plus progressif chez Julie.

Un léger rayon de soleil effleure les mentons de nos amoureux qui se promettent de se rappeler très bientôt.

La « cristallisation » affective

Après cette folle nuit, nos amants ont dû se séparer pour la semaine, affronter le quotidien, le doute en tête. Qu'adviendra-t-il de leur passion ? Stendhal, en son temps, s'était penché sur le problème du devenir amoureux, dans son essai « De l'amour ». A l'image du rameau oublié dans une mine de sel de Salzbourg et qui se recouvre de cristaux, l'absence de l'objet aimé l'embellit, le magnifie, l'idéalise à mesure que le temps passe. L'écrivain a appelé ce processus « cristallisation ».

Leurs tendres ébats n'ont pas cessé de hanter Jim et Julie durant cette séparation forcée. Ils n'ont pas pu se revoir avant le samedi soir suivant au piano-bar et ce qui va s'y passer les inquiète. Jim attend Julie les mains dans les poches, mimant l'indifférence. Or, à sa grande surprise, elle le snobe et tourne ostensiblement les talons. Il est pourtant peu probable qu'elle ait si vite oublié l'intensité de leur nuit d'amour. Souhaite-t-elle en finir avec lui ? Non, mais sans doute a-t-elle jugé qu'en jouant les désinvoltes, elle inciterait Jim à la reconquérir, à s'amouracher d'elle plus encore. Selon le psychiatre-éthologiste Boris Cyrulnik (« Sous le signe du lien », Hachette, 1989), la remise en question permanente permettrait d'éviter cette perte de libido souvent inhérente à une vie de couple trop fusionnelle.

Homo sexualis

Par Jean Cournut,
psychanalyste, membre titulaire
de la Société psychanalytique de Paris

■

Plus qu'une conduite parmi d'autres, davantage qu'une passion ou qu'une source de plaisir, autre chose que son support neuro-hormonal et davantage enfin qu'une séquelle d'animalité, la sexualité est conçue, en psychanalyse, comme fondement et pivot de la spécificité humaine.

On dit souvent que la psychanalyse voit – et pire – met du sexe partout ; on parle du « pansexualisme » (du grec *pan* qui signifie « tout ») freudien ; on n'est pas loin de crier au scandale en dénonçant une réduction généralisée et abusive de l'humain au sexuel. Sans aller jusqu'à rappeler que l'homme fut créé à l'image de Dieu, on pense souvent que la sexualité est un reste plus ou moins bien dompté, civilisé, normalisé de cette animalité physiologique et que le propre de l'homme est de transcender cette bestialité de nature. Mais la psychanalyse ne récuse aucune aspiration sublimatoire. Bien au contraire, elle reconnaît à la sexualité un rôle structurant et organisateur de l'humain dans tous ses registres, y compris intellectuels et spirituels.

Certes, les sexualités animale et humaine ont, à peu de choses près, la même biologie ; mais si les humains ne coïtent pas dans la rue, comme le font sans vergogne les chiens, ce n'est pas seulement parce que c'est plus confortable dans un lit. Chez ces êtres de langage et de société que nous sommes, la sexualité est structurée par des interdits et des prescriptions. Les anthropologues affirment que c'est sans conteste cet encadrement de la sexualité, qui, intriqué au langage et au *socius*, constitue la base de la condition humaine, et que c'est de cet ensemble que naissent et se développent les potentialités de symbolisation, d'imagination, de

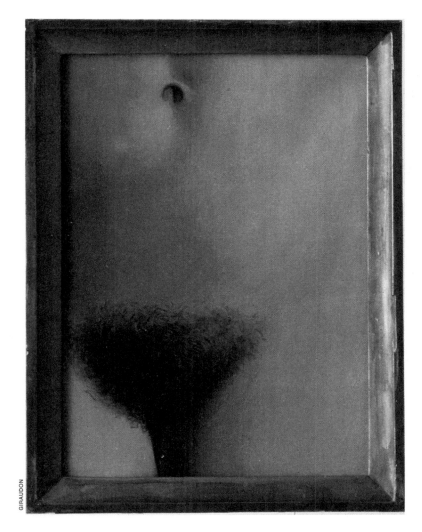

GIRAUDON

sentiment et de pensée. La psychanalyse, à son tour, reconnaît à la sexualité une place majeure dans la constitution d'une spécificité humaine universelle. Encore faut-il s'entendre sur le sens de ce terme « sexualité » qui désigne aussi bien le phénomène biologique que l'ensemble des représentations que l'on se donne de ce phénomène, des codes dont il est l'objet, des passions qu'il soulève... On navigue constamment dans cette alternative au risque souvent de perdre le cap : « sexualité anatomo-physiologique » et « psycho-socio-sexualité ». En psychanalyse, la psycho-sexualité est conçue comme intégrée dans une réalité psychique qui comprend des phénomènes fonctionnellement voisins, tels que le rêve et le fantasme. On va voir que, dans le corpus théorique de la psychanalyse – cette peste, comme disait Freud, prévoyant le scandale – l'importance de la sexualité dans ce qu'on pourrait appeler la définition même de l'humain, apparaît sous trois rubriques essentielles : l'inconscient, la sexualité infantile et la théorie des pulsions.

GIRAUDON

Freud, le premier, souligne ce que tout le monde sait mais ne dit guère, à savoir que les troubles névrotiques s'accompagnent systématiquement de troubles de la sexualité. Il note aussi que ce sont bien souvent des troubles de la sexualité qui semblent induire les angoisses et les symptômes des patients. Cette conjonction de la névrose et de la sexualité est flagrante chez les hystériques. La crise d'hystérie ressemble beaucoup à une explosion orgastique, tandis que les symptômes phobiques et obsessionnels sont, eux, à peine décalés par rapport à des craintes non dites et à des « manies » cachées concernant la manière dont tout un chacun pratique « sa » sexualité.

Freud remarque une caractéristique très bizarre dans le comportement d'une patiente hystérique : d'une main, elle maintient sa jupe baissée comme le ferait une femme qu'un homme essaie de déshabiller, mais de l'autre main, elle relève sa jupe comme le ferait un homme cherchant à l'étreindre. Freud voit dans ce comportement la preuve d'une ambivalence des sentiments, d'un conflit entre le désir et l'interdit, et d'une « identification bisexuelle », c'est-à-dire aux deux partenaires d'une scène érotique. Evidemment, on peut estimer que c'est là chercher des explications tortueuses et sexuelles à un geste « machinal »...

Les psychiatres de l'époque pratiquent couramment l'hypnose et savent que, sous hypnose, les symptômes hystériques disparaissent – notamment et sur un mode spectaculaire, les paralysies hystériques – quitte à réapparaître ensuite. Cette instabilité et cette précarité de la guérison incitent Freud à tenter une autre méthode fondée sur l'écoute du sujet, celle qui va bientôt devenir la pratique fondamentale de la psychanalyse : la méthode des associations libres.

La séance a une durée fixée à l'avance. Le patient est allongé sur le divan, l'analyste assis derrière lui, hors de son champ visuel, pour se dégager du contrôle réciproque par le regard. Le patient est prié de laisser ses pensées, ses imaginations, ses souvenirs s'associer le plus librement possible, sans critique et sans retenue. Cet état de séance se rapproche beaucoup de ceux de l'hypnose et du rêve, mais il n'est pas induit (l'analyste n'hypnotise pas). Par ailleurs, le patient ne dort pas : il rêve, mais éveillé, et de ce fait, entend ce qu'il dit et ce que l'analyste l'invite à commenter. Cette situation très particulière par rapport à la vie courante permet à l'inconscient de s'exprimer. Freud effectivement est parti de l'hypothèse, amplement vérifiée, selon laquelle la plupart de nos phénomènes psychiques sont inconscients. Et on s'aperçoit que, comme dans les rêves, les associations apportent un « matériel » fait d'actualité et d'un passé qui, stocké dans l'inconscient, revient alors en mémoire. Les souvenirs de l'enfance se remettent à fleurir pour le meilleur et aussi pour le

pire – mais la méthode vise précisément à analyser ce... pire. Les composantes sexuelles sont présentes, surtout celles de la sexualité infantile, époque où la névrose a commencé à se nouer aux stades oral, anal puis phallique. En d'autres termes, quand la pesée du refoulement est allégée et que l'inconscient se... défoule, ce sont des sentiments bruts qui s'expriment – d'amour, de haine, de rivalité, de passion, de peur, de plaisir, etc., – sentiments qui sont adressés directement à l'analyste mais qui, en fait, s'adressent à des

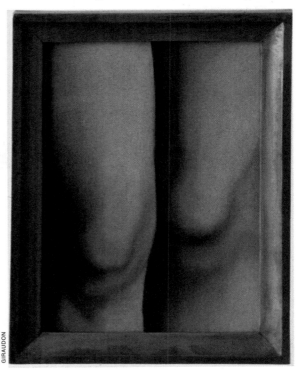

GIRAUDON

personnes d'un passé infantile plus ou moins lointain. C'est le phénomène dit du « transfert ». Le sujet parle, mais, toujours vivant et actif, l'enfant qu'il a été et qui persiste en lui crie ses désirs et ses peines d'autrefois. Au cœur de l'être humain, la passion fait rage – celle de l'enfant dans l'adulte – réactivée par l'actualité, et en même temps, induisant cette actualité. Mais pourquoi, dira-t-on, remuer ce passé, ce « *misérable petit tas de secrets* », comme disait Malraux ? Pourquoi insister sur ce qu'il y

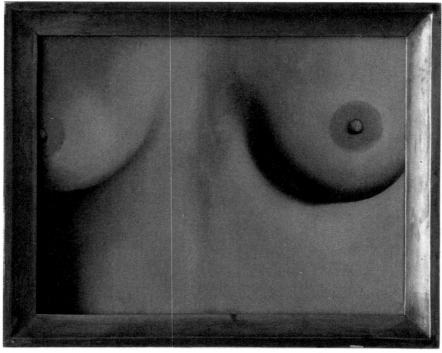

GIRAUDON

a de plus égoïste, de plus concupiscent, de plus animal dans la nature humaine, et dévaluer ainsi les valeurs que la culture édifient précisément pour dépasser cette animalité ? Une première réponse consiste à remarquer – ce que tout le monde, encore une fois, sait mais ne veut guère savoir – que le passé induit le présent, que les traumatismes de l'enfance marquent un individu pour la vie et colorent « en après coup » ses pensées et ses comportements. En fait, le discours ambiant est plein de contradictions : « refoulé » et « complexé », par exemple, sont des termes péjoratifs, alors que pourtant, dans la théorie freudienne, le refoulement est un processus nécessaire et structurant permettant de contenir les pulsions sexuelles et agressives. On se gausse des interprétations psychanalytiques du rêve et de ses composantes sexuelles appartenant au passé de l'individu. Il reste que les médicaments modernes, s'ils calment les symptômes et les angoisses, laissent entières et non élucidées les causes intimes, chez tel individu donné, de cette déprime et de ces angoisses personnalisées. La psychopharmacologie et la microchirurgie n'ont guère d'efficacité sur les troubles sexuels (éjaculation précoce, impuissances et frigidités diverses) dans la mesure où ces troubles traduisent des difficultés affectives actuelles réactivant des traumas de l'enfance. Et les traumas de l'enfance ont toujours une composante sexuelle dans la mesure où, chez l'enfant, affectivité, excitation, tendresse, et contacts corporels sont confondus. La méthode psychanalytique consiste précisément à réactualiser ces histoires infantiles pour enfin pouvoir les désamorcer.

Toutefois, la psychanalyse n'est pas seulement une méthode pour soigner les troubles sexuels, ni une insistance jugée malsaine sur la sexualité de l'adulte et de l'enfant. Pour rendre compte des sentiments et comportements humains, et de ce que les cures analytiques permettent de découvrir, Freud et les psychanalystes après lui ont bâti un modèle théorique général du psychisme, dont les pivots sont des notions telles que pulsions, processus psychiques inconscients et fantasmes.

– les pulsions traduisent dans le psychique les excitations du corps (pulsions d'autoconservation, pulsions sexuelles, pulsions de vie, pulsion de mort). Concept limite, la pulsion « représente » le somatique dans le psychique. On la conçoit comme une poussée constante obligeant l'appareil psychique (ou, si l'on veut le « moi ») à un travail de mise en représentations et affects qualifiants. Pour métaboliser la force brute de la pulsion, l'appareil psychique utilise des moyens de défense tels que, au premier chef, le refoulement des pensées conscientes dans l'inconscient et le déni, qui consiste à dénier la réalité.

– les processus psychiques inconscients échappent à la conscience dans la mesure où ils sont refoulés, mais restent actifs (un souvenir oublié est toujours là, refoulé, d'autant plus présent et sous pression que la conscience ne l'intègre pas, ou plus) ;

– les fantasmes sont des productions imaginaires, le plus souvent inconscientes, et dont l'organisation en scénarios singuliers pour chaque individu anime sa vie psychique et ses comportements. La sexualité y participe, mais ils ne sont ni particulièrement obscènes ni obligatoirement pervers. Alors que dans le langage courant le mot de « fantasme » désigne volontiers des pratiques de pervers sexuels, il s'agit, bien plus largement, d'une activité essentielle de la psyché, proche du rêve mais fonctionnant à l'état de veille. C'est l'immense domaine de l'imaginaire. Mentionnons, par exemple, le fantasme originaire de castration, que tous les individus vivent, même si chacun l'arrange à sa manière : quand l'enfant commence à se rendre compte que ses excitations sont encombrantes et défendues, il se raconte qu'il risque d'en être puni sur son corps ; on lui coupera quelque chose et on ne l'aimera plus ; pourtant, cet éventuel sacrifice d'une partie blessée pour sauver le tout pourrait lui redonner amour et estime. Et reconnaissance par le groupe social où il aura son assignation symbolique : tous les rituels de marquage social, à commencer par la circoncision, les tatouages et les cicatrices à valeur symbolique, gravitent autour du sexe. C'est la partie du corps la plus excitable, celle qui fait la différence des sexes et celle où se joue la différence des générations, qui est la plus hautement « sacrifiable ».

Le rôle imparti à la psychosexualité en psychanalyse ne se comprend que dans le cadre d'une réflexion conduisant à abolir trois distinctions :

– il n'y a pas de différence fondamentale entre le normal et le pathologique. Tous les écrivains d'ailleurs le savent, depuis Sophocle jusqu'à Proust, en passant par Molière et Dostoïevski. Question de seuil : à partir de quel seuil un groupe social considère-t-il que tel comportement est seulement un peu original, et tel autre plutôt pathologique ?

– il n'y a pas de limite claire et abrupte entre l'enfant et l'adulte. L'enfant, ce « pervers polymorphe » comme disait Freud, et sa sexualité, ainsi que l'évolution de celle-ci par stades (oral, anal, phallique, génital) restent présents dans l'adulte. Les Grecs le savaient ; et, chacun à sa manière, Sade et Dickens aussi.

– il n'y a pas non plus de limite claire et précise entre les pensées diurnes et les rêves de la nuit. Personne, du reste, ne l'a aussi bien dit que Shakespeare.

D'une manière générale, il faut tenir compte du fait que le fonctionnement psychique des individus est fondamentalement centré sur le conflit intérieur entre les désirs et les interdits. Ces interdits sociaux, culturels, familiaux et parentaux sont intériorisés, c'est ce qui constitue le « surmoi ». Enfin, les désirs ne sont pas seulement romantiques ; ils sont fondamentalement originés dans le corps. Et ce corps, qu'on le veuille ou non, est un corps sexué.

L'enfant prend en compte très tôt – alors que les animaux ne semblent guère s'en embarrasser – que la situation est fondamentalement triangulaire. En effet, si on considère la cellule sociale de base, on constate qu'il y a trois personnes. Mais deux ont le même sexe, pas le (ou la) troisième ; deux sont de la même génération, mais pas le (ou la) troisième. Une des trois a un contact obligé avec chacune des deux autres (la mère avec le père, la mère avec l'enfant), alors que les deux autres n'en ont pas forcément. En revanche, c'est le père qui dit la loi et la transmet.

Les anthropologues ont découvert et exploré depuis longtemps cette situation. Claude Levi-Strauss, Maurice Godelier, Françoise Héritier en France, reconnaissent que la différence des sexes et celle des générations sont le creuset des oppositions sur lesquelles fonctionne la pensée humaine. En son temps, Freud avait déjà ajouté à ces descriptions deux précisions importantes : elles concernent le sentiment et le corps. La situation triangulaire désigne un sujet avec des désirs dans un monde qui va les cadrer. L'objet désiré est du côté de la mère (le paradis perdu, la fusion espérée, l'éternel retour) ; l'interdit est du côté du père, de la loi, du *socius*. La différence est inscrite d'abord sur le corps, là où précisément les sexes sont différents, là où effectivement s'origine la différence des générations, là où le corps est le plus excitable. Le constat de cette situation sexuée triangulaire devrait obliger les philosophes de l'altérité, ceux qui étudient comment « je » suis par rapport à « l'autre », à considérer que, dès l'origine, l'altérité est double, parce qu'il y a toujours deux autres, de sexes différents (même si l'enfant tout petit ne le sait pas clairement, sa mère, elle, sait les différences et la triangulation). Quand, pour leur part, les psychanalystes évoquent l'angoisse de séparation ou d'abandon, encore faudrait-il préciser : séparé de qui, abandonné pourquoi, au bénéfice de  quel autre, etc. L'amour humain se conjugue en termes de préférences.

C'est vrai, la psychanalyse voit du sexe partout ; mais si elle le voit, c'est en fait parce qu'il y est ! La question de savoir pourquoi, en général, on n'a pas envie de l'admettre, participe d'un refoulement collectif et transculturel. Si le message freudien semble avoir été entendu, deux réserves s'imposent. La première concerne ce en quoi la banalisation équivaut sans doute à une dénégation qui, en l'occurrence, rejoindrait le refoulement antérieur. La deuxième consiste à noter que le surinvestissement du plaisir en général – celui de l'amour-sentiment, celui du corps, celui de la pulsion partielle – s'effectue au détriment de celui du sexe.

En fait, il convient de bien distinguer ce qui est de l'ordre du refoulement collectif et transculturel, nécessaire et fondateur du *socius*, et ce qui est de l'ordre de la souffrance individuelle provoquée par une trop forte pesée de ce refoulement. Chez certains individus, en fonction des traumas de leur enfance, cette pesée trop forte ampute leur liberté de penser, d'aimer et d'agir. On peut espérer que la psychanalyse les aide à se désaliéner, pour accéder à une meilleure convivialité et aux plaisirs de la vie. ∎

Pour en savoir plus

● *Psychanalyse et sexualité*, ouvrage collectif, coll. Inconscient et culture, Dunod, 1996.

Le sexe social

PAR NICOLE-CLAUDE MATHIEU,
MAÎTRE DE CONFÉRENCES À L'ECOLE DES HAUTES ETUDES EN SCIENCES SOCIALES,
MEMBRE DU LABORATOIRE D'ANTHROPOLOGIE SOCIALE, COLLÈGE DE FRANCE, PARIS

■

Dans la pensée commune occidentale, il y a un recouvrement obligatoire
entre la notion de sexe biologique et celle de « genre », qui a trait
à la différenciation sociale des sexes. L'étude des sociétés autres
qu'occidentales révèle la variabilité du contenu des caractéristiques de
genre et la fragilité des frontières établies entre les sexes.

On oppose généralement le sexe comme relevant du biologique et le genre (*gender* en anglais, notion élaborée par les recherches féministes) comme relevant du social. Toutes les sociétés établissent une grammaire sexuelle (un genre « féminin » est imposé culturellement à la femelle et un genre « masculin » au mâle) mais cette grammaire – idéelle et factuelle – outrepasse parfois les « évidences » biologiques (elles-mêmes, d'ailleurs, problématiques).

Le genre a trait, non à la différence, mais à la différenciation sociale des sexes. En biologie, la différenciation est l'acquisition de propriétés fonctionnelles différentes par des cellules semblables. De même, les sociétés assignent aux deux sexes des fonctions différentes dans le corps social – et ce, dans deux champs fondamentaux : la division socio-sexuée du travail et la division sexuelle du travail de reproduction (où elles surdéterminent la différenciation biologique). Les autres aspects du genre (différenciation du vêtement, des comportements et attitudes, inégalité d'accès aux ressources matérielles et intellectuelles) sont des marques, des signes ou des conséquences de cette différenciation sociale de base.

Dans la pensée commune occidentale, il y a recouvrement obligatoire entre les notions de sexe et de genre. L'intérêt d'un certain nombre

« Homme ou femme », « homme en femme » ou « homme et femme » ?
Pin-up, de Zoe Leonard, 1995.

d'autres sociétés (et de phénomènes marginaux de nos sociétés) est que ni les définitions du sexe et du genre, ni donc les frontières entre sexes et genres n'y sont aussi claires. Aussi l'ethnologie permet-elle d'illustrer non seulement la variabilité du contenu des caractéristiques de genre selon les sociétés, mais aussi la fragilité des frontières établies entre les sexes, ainsi que les multiples moyens d'éducation et de répression qu'implique leur maintien.

Alors que les sociétés occidentales modernes perçoivent la dichotomie des sexes comme un donné, fondé en Nature ou en religion (« *Dieu les créa homme et femme* », *Genèse* I, 27-28), d'autres mythes de création y voient un avatar de l'humanité. A l'origine il y eut des couples de jumeaux androgynes (pour les Dogon du Mali), deux hommes dont l'un rendit l'autre enceint (pour les Esquimaux), une femme qui donna seule naissance à une fille (pour les Iroquois), un homme seul dont est sortie une femme (*Genèse* II, 18), etc.

Toutefois, nombre de rites servent à instaurer une différence biologique et sociale des sexes et leur « complémentarité », conçue parfois comme égalitaire, au moins au niveau symbolique, plus souvent comme asymétrique : ainsi les initiations féminines centrées sur la procréation et le mariage insistent-elles aussi sur l'obéissance au mari. Il s'agit donc d'une hiérarchisation des sexes avec prévalence masculine. (Les mythes d'un matriarcat primitif, très répandus, en sont une expression : les femmes possédaient le pouvoir mais elles en usaient mal, aussi les hommes durent-ils s'en emparer.)

Et le vieux rêve de l'humanité – l'annulation de la différence des sexes – trouve, conjoint à la réalité du pouvoir des hommes, son apogée dans l'affirmation de l'omnipotence masculine qui peut parvenir à absorber les caractéristiques biologiques du sexe féminin : en Nouvelle-Guinée, pour les Gimi, le sang menstruel, le sang « mort », est le sperme mythiquement « tué » et transformé ; pour les Baruya, le lait des femmes naît du sperme des hommes...

Dans ces sociétés à violente domination masculine, l'annulation symbolique de la différence des sexes (par quasi-suppression du sexe féminin) s'accompagne toutefois d'une ségrégation concrète, où l'appartenance sociale de genre d'un individu est strictement définie par son appartenance biologique de sexe (comme dans la majorité des sociétés). Pourtant, certaines sociétés admettent officiellement la possibilité d'une divergence entre sexe biologique et sexe social, avec passage de la frontière des sexes et/ou des genres, au niveau des représentations mais aussi dans les comportements. On en trouvera des exemples (très simplifiés) dans les encadrés qui accompagnent cet ar-

Transsexuels, travestis et transgenre

La distinction entre trans-sexualisme et travestissement est difficile à établir du point de vue psychologique et aussi socio-logique : dans les sociétés qui ne disposent pas des moyens modernes hormonaux et chirurgi-caux, un transsexuel psycho-logique n'a guère d'autre solution que de se travestir. Dans les sociétés occidentales, l'antago-nisme entre transsexuels et travestis est bien connu des milieux associatifs et du monde de la prostitution. Transsexuels et travestis sont en majorité des hommes.

Homme ou Femme : les transsexuel (le) s

Les transsexuel (le) s rejettent pour la plupart avec horreur l'idée d'être considéré (e) s comme homosexuel (le) s, et veulent par la modification de leur sexe, qu'ils ressentent comme étranger à eux-mêmes, parvenir à une « vraie » hétérosexualité, avec changement d'état civil. L'insistance que mettent la majorité d'entre eux à devenir « normaux » est généralement couplée, à l'image de la société globale, avec leur traditionalisme quant aux rôles de genre dans le couple (division des tâches, allure, vêtements, etc.). Ils confondent dans un égal mépris travestis et homosexuels : *« Ces femmes en costume, ces tristes caricatures d'hommes, ces travesties... elles sont ridicules, grotesques [...] Je ne suis pas une lesbienne ! [...] Je suis un homme ! »*, écrit Daniel Van Oosterwyck, transsexuelle femme-vers-homme.

Homme en Femme, Femme en Homme : les travesti (e) s

Le travestissement peut avoir des raisons purement sociales. Autrefois, des femmes s'habillaient en homme pour voyager librement. Aujourd'hui, les homosexuelles ou hétérosexuelles d'allure « masculine », dont certaines « passent » pour des mâles, ne se conçoivent pas comme travesties ; leur choix provient plutôt d'un rejet (conscient ou non) des contraintes corporelles imposées aux femmes et de leur dévalorisation. C'est la féminité « normale » qui est alors vue comme une mascarade. Ce qu'on désigne habituellement par « travestissement » est plutôt le fait des hommes qui adoptent, plus ou moins régulièrement, le genre femme, sans modification de leur identité sexuelle (sans contester leur sexe anatomique), ni de leur orientation sexuelle (homo ou hétéro). Il s'agit ici du plaisir sexuel, psychologique et/ou social (spectacles) de la divergence entre le sexe et l'apparence. La mise en scène de la « féminité » implique l'exagération, la mascarade. Avec l'évolution des idées politiques de la communauté homosexuelle, contestant la dichotomie du genre ou au contraire valorisant la masculinité, ils n'y sont pas toujours les bienvenus.

Homme et Femme ? Le « transgenre »

Les identités personnelles représentent en fait un éventail de combinaisons entre sexes, genres et orientations sexuelles. Un homme travesti en femme pourra se dire « homme lesbien », des transsexuels H vers F, « femme lesbienne », ou « homosexuel masculin ». Certains transsexuels

Homme et/ou Femme

ne souhaitent pas de chirurgie, etc. Aux Etats-Unis, la Berdache Society rassemblait transsexuels et travestis hétérosexuels, avec prédominance idéologique des premiers (et exclusion des travestis homosexuels). Puis, en conformité avec l'esprit postmoderne, s'est créé le mouvement « *transgenderist* » (traverser le genre) pour prendre en compte le continuum de vécus individuels du trans-vestisme. Tout cela, pas plus que les performances de Madonna, ne supprime l'idée de la bipolarisation du genre, propre à l'hétérossocialité.

N.-C. M.

A lire : « Transcending and transgendering : Male-to-female transsexuals, dichotomy and diversity », par Anne Bolin, in *Third Sex, Third Gender*, G. Herdt (ed.), New York, Zone Books, 1994. *Madonna. Erotisme et pouvoir*, de Michel Dion (ed.), Paris, Kimé, 1994. *L'illusion transsexuelle*, de Patricia Mercader, Paris, L'Harmattan, 1994.

ticle : transvestismes, travestissements, transsexualismes et mariages entre personnes de même sexe.

On doit alors se demander quelle est la conception du rapport entre sexe et genre qui sous-tend aussi bien ce qui est considéré comme normal dans une société que ce qui est vu comme une « inadéquation » à résoudre. J'ai distingué deux modes principaux de conceptualisation de ce rapport.

Le mode I a pour référence principale le sexe et fonde ce que je nomme une identité « sexuelle ». Elle est basée sur la conscience individualiste du vécu psycho-sociologique du sexe biologique. C'est une problématique de l'adéquation, de la convergence entre le sexe (conçu

Le « troisième genre » des berdaches

Chez les Indiens des Plaines et de l'Ouest en Amérique du Nord, existaient jusqu'à la fin du XIXe siècle des individus, hommes (dans une centaine de sociétés) et femmes (dans une trentaine de sociétés), que l'on dénomma « berdaches ». Ils éprouvaient une inadéquation entre leur sexe et le genre social du sexe opposé, auquel ils se sentaient appelés à la suite de rêves, de visions ou de préférences personnelles, dès l'enfance ou l'adolescence. Ceci était accepté par la société et parfois officialisé par un rite. Ils adoptaient les tâches et comportements de l'autre sexe/genre, ainsi que le vêtement (encore que celui-ci était parfois un mélange des deux).

Fille devenue homme social ou garçon devenu femme sociale, les berdaches se mariaient ou avaient des relations sexuelles avec des personnes de même sexe mais de genre opposé – il faudrait dire : parce que de genre opposé. Selon Harriet Whitehead, les berdaches se conformaient « à une hétérosexualité sociale plutôt qu'anatomique ». Ce qu'on a longtemps appelé en ethnologie leur « homosexualité institution-nalisée » s'inscrit en fait dans une logique hétérosociale, où la

différence, au moins des genres sinon des sexes, doit être maintenue. Il semble que les berdaches n'avaient pas de relations sexuelles entre eux (ce qui aurait été une véritable « homo-sexualité »).

Certains prétendaient appartenir vraiment au sexe du genre qu'ils ou elles avaient choisi (ce qui les rapprocherait des transsexuels modernes), mais il semble que leur entourage, tout en les respectant, n'en était pas convaincu. Toujours est-il que ce que j'appelle « la transgression du sexe par le genre » qu'ils manifestaient pouvait leur conférer des pouvoirs particuliers, notamment chamaniques.   N.-C. M.

(Voir « Institutionalized homosexuality of the Mohave Indians », par G. Devereux, in Human Biology IX, 1937.
« The bow and the burden strap : a new look at institutionalized homosexuality in native North America », par H. Whitehead, in Sexual meanings : the cultural construction of gender and sexuality, Ortner & Whitehead (eds), Cambridge University Press, 1981.
« The North American berdache », par C. Callender & L. Kochems, in

Current anthropology 24 (4), 1983. « Sexuality and gender in certain native American tribes : the case of cross-gender females », par E. Blackwood, in Signs : Journal of women in culture and society 10 (1), 1984.)

Berdache navajo

LA COUNTRY MUSEUM OF NATURAL HISTORIS

comme déterminé, ou à déterminer) et le genre (qui doit se calquer sur la bi-partition du sexe) : un homme est masculin, une femme est féminine. Le genre traduit le sexe. C'est une logique « sexualiste » dont le modèle est l'hétérosexualité, et naturaliste (quelle que soit la conception de la « nature ») : ainsi nos sociétés percevaient jusque récemment l'homosexualité comme antinaturelle, et l'argument défensif de certains homosexuels est de répondre qu'elle existe aussi dans la « nature » (chez les animaux). On peut aussi qualifier cette optique d'idéaliste, puisque, paradoxalement, mais logiquement, si on ne peut pas adapter le genre au sexe, on adaptera le sexe au genre ; c'est le cas des « transgressions du genre par le sexe » : transsexuels modernes et *hijras* (castrats-travestis de l'Inde), création d'un troisième sexe/genre chez les Inuit.

Le mode II a pour référence principale le genre et s'accompagne de ce que je nomme une identité « sexuée », basée sur une conscience de groupe. C'est une problématique

> **Le « troisième sexe » chez les Inuit**
> Chez les Esquimaux, comme dans nombre de sociétés, le sexe biologique détermine le genre, mais le sexe/genre n'est ni évident, ni unique, ni définitif. Car en tout enfant revivent une ou des personnes dont il/elle reçoit le nom (et le statut en termes de parenté). Or si le nom n'a pas de genre grammatical, il a un sexe : celui de l'éponyme. Une divergence peut alors se présenter entre le sexe d'un (e) éponyme et celui du bébé, d'autant qu'on peut avoir plusieurs éponymes, et de sexe différent. A cela deux solutions. Soit une sorte de transsexualisme : l'enfant est dit avoir changé de sexe à la naissance. Soit plus souvent (jusque 20 % des gens d'une communauté), divers degrés de transvestisme : on habille et on éduque l'enfant dans le genre conforme au sexe de l'éponyme – la fille en garçon si en elle revit (=si elle est) son grand-père, le garçon en fille s'il est sa grand-mère. Mais à la puberté, les enfants inuit classés comme appartenant au sexe/genre opposé prendront les activités et comportements de leur sexe/genre biologique, en vue du mariage et de la procréation. Ces doubles chevauchements de frontières qualifient souvent ces personnes pour le chamanisme.   **N.-C. M.**
>
> (Voir « Du fœtus au chamane : La construction d'un "troisième sexe" inuit », de B. Saladin d'Anglure, Etudes/Inuit/Studies 10, 1-2, 1986.)

de la complémentarité sociale (et non forcément sexuelle) des sexes. Plus que la « nature », l'important est l'élaboration culturelle d'une différence. Aussi peut-on parler ici plutôt d'hétéro-socialité que d'hétéro-sexualité. Le genre ne « traduit » pas le sexe comme dans le mode I, mais il « l'exprime ». Et surtout le genre symbolise le sexe, et inversement. Voir les rites d'inversion collectifs annuels, où chaque sexe prend les vêtements et parfois les tâches de l'autre, en caricature. Contrairement à la première, cette optique peut admettre l'homosexualité (et la bisexualité) masculine, sous certaines conditions : ainsi les rapports pédérastiques d'éducation entre maître et élève dans la Grèce antique et, dans nombre de populations, les actes homosexuels institutionnalisés lors des rites d'initiation des garçons, afin de parachever leur masculinité. Loin d'être contradictoires avec la domination des femmes par les hommes, ces formes d'homosexualité sont une expression de l'antagonisme hommes/femmes. En bref, c'est une logique « pragmatique », capable d'aménager la divergence entre sexe et genre. Ainsi les travestis modernes, le berdachisme, les mariages entre hommes et mariages entre femmes – cas de « transgressions du sexe par le genre ». (Voir encadrés.)

Nous avons jusqu'ici parlé de façon générale de passages de genre, tant pour les femmes que pour les hommes, mais – quels que soient les modes d'articulation conceptuelle et concrète entre sexe et genre – il est toujours possible de retrouver un fonctionnement asymétrique du genre en fonction du sexe, y compris dans leurs transgressions. Par exemple :

– Chez les berdaches, les qualités techniques de l'homme-femme étaient souvent jugées supérieures à celles des femmes ordinaires, celles de la femme-homme rarement supérieures à celles des hommes ordinaires.

– Chez les populations à berdaches et chez les Inuit, le passage de genre confère aux deux sexes une qualification pour le chamanisme, mais l'importance des prestations semble plus grande chez l'homme devenu femme que chez la femme devenue homme.

– Bien que chez les Indiens Mohave la femme-homme fût autant reconnue dans ses prérogatives de mari que l'homme-femme dans ses devoirs d'épouse, la condition de la berdache était plus difficile. Elle avait plus de mal à trouver une épouse que le berdache un époux, on se moquait plus facilement d'elle que de lui (dont on craignait la violence, même s'il était censé être femme) et surtout elle pouvait être menacée de viol.

– L'homosexualité dans les deux sexes est connue chez les Azandé,

---

Mariages entre hommes

Ce type de mariage existait, par exemple, dans les royaumes Azandé du Sud-Soudan avant l'autorité coloniale. Dans cette société hiérarchisée, les guerriers célibataires de la Cour pouvaient officiellement prendre pour femme un jeune garçon en versant à ses parents, comme dans tout mariage, une compensation matrimoniale. Le garçon-épouse assurait les tâches agricoles, domestiques et sexuelles d'une femme, en attendant que son mari contracte un mariage hétérosexuel, et que lui-même prenne à son tour un garçon-épouse. Cette coutume était attribuée au « manque de femmes » résultant de la grande polygynie, avec répression de l'adultère. Les rapports sexuels entre femmes étaient, eux, réprouvés par les hommes. Elles les déguisaient sous forme d'amitiés amoureuses (où elles adoptaient parfois les attitudes de domination du « mari » sur « l'épouse ») mais ces amitiés étaient soumises à l'autorisation du (véritable) mari. L'utilisation de garçons-épouses et le contrôle simultané de l'homosexualité féminine montrent que l'homosexualité masculine reproduit ici la domination des hommes sur les femmes – et que l'inversion de sexe n'est pas obligatoirement une subversion du genre.   N.-C. M.

(Voir« Sexual inversion among the Azande », par E. E. Evans-Pritchard, in American anthropologist 72, 1970.)

Mariages entre femmes

Les mariages entre femmes, attestés dans une trentaine de sociétés africaines, dont certaines actuelles, semblent, à l'inverse des mariages entre hommes, ne pas impliquer de relations homosexuelles, du moins de manière officielle. En effet, c'est la fonction procréatrice qui est ici en cause. Il s'agit généralement d'une adaptation de la société pour assurer la continuité d'un lignage agnatique, en l'absence d'un héritier mâle. Une femme, en payant la compensation matrimoniale, épousera alors, en tant que mari, une femme-épouse qui lui procurera des enfants avec un homme-géniteur.

Dans l'extrême diversité des arrangements concrets, Denise O'Brien distingue deux types de « maris féminins » : celles qui agissent comme substitut d'un homme (père, frère, mari ou fils, décédé ou non existant) et celles qui agissent pour leur propre compte et sont alors souvent plus proches que les premières d'être considérées socialement comme un homme. Cette dernière catégorie est souvent liée à la possibilité qu'ont les femmes, dans quelques sociétés, de manipuler la richesse ou de parvenir à des positions sociales importantes. Mais la pratique du mari féminin, même en tant que substitut d'un mari décédé, peut être aussi un mode de défense des femmes contre la tendance moderne à les priver des droits traditionnels qu'elles conservaient sur les biens du défunt, à condition de lui procurer un fils posthume (grâce à sa femme-épouse). Ainsi, Regina Smith Oboler a signalé que chez les Nandi du Kenya (où 6 % des femmes mariées étaient devenues, après la ménopause, des maris féminins), cette pratique tend à augmenter depuis les années soixante.

Malgré la relative liberté sexuelle que procure à la femme-épouse un mariage entre femmes, la femme-mari a sur elle (quoique parfois moins durement) l'autorité d'un homme. Cette institution démontre que le mariage ne se définit pas principalement par la fonction reproductrice (que l'on peut toujours aménager) entre sexes opposés, mais assure toujours un ensemble de droits du sexe/genre « homme » sur le sexe/genre « femme ». N.-C. M.

(Voir « Female husbands in Southern Bantu societies », par D. O'Brien, in Sexual stratification : a cross-cultural view, A. Schlegel (ed.), Columbia University Press, 1977. « Is the female husband a man ? Woman/woman marriage among the Nandi of Kenya », par R. Smith Oboler, in Ethnology XIX (1), 1980.)

Femmes du Kenya

mais elle est institutionnalisée pour les hommes, réprimée chez les femmes (toutes astreintes au mariage hétérosexuel).

– Les mariages entre hommes permettent l'exercice officiel de la sexualité, les mariages entre femmes celui de la reproduction. (Et rappelons que la sexualité en soi, hors visée reproductive, est interdite aux seules femmes dans nombre de sociétés.)

On est alors amené à envisager un troisième mode de rapport entre sexe et genre. Au lieu de simplement traduire (mode I) ou symboliser (mode II) le sexe, le genre ne construirait-il pas le sexe ? En effet, d'un côté, la bi-partition hiérarchique des fonctions sociales et des attitudes corporelles et mentales (le genre) apparaît étrangère à la différence des sexes, mais de l'autre elle entraîne des modifications corporelles et mentales du sexe. On peut parler d'une véritable construction sociale de la différence des sexes.

Considérons d'abord la division sexuelle du travail de reproduction. Il

Ni hommes, ni femmes : les hijras de l'Inde

Les *hijras*, que l'on trouve surtout dans la moitié nord de l'Inde, sont des eunuques travestis en femmes et parlant d'eux-mêmes au féminin. Ils vénèrent Bahuchara Mata, une version de la Déesse-mère, ce qui est la raison de leur castration (désormais secrète, car interdite depuis la colonisation anglaise). De cette divinité féminine, ils/elles possèdent le double pouvoir de bénir et de maudire, et sont donc à la fois recherchés et craints. Ils exercent traditionnellement un rôle rituel en liaison avec la fertilité, lors des mariages ou de la naissance d'un enfant mâle, chantant et dansant d'une manière provocante (qu'aucune femme indienne ne saurait se permettre). Conçus comme « ni homme ni femme » (car ils n'ont les capacités procréatrices d'aucun des deux sexes) mais surtout non-mâles, ils s'identifient aussi au dieu Shiva qui, selon une tradition, s'était lui-même castré, mais est parfois représenté comme mi-homme mi-femme, ou avec le phallus dans un sexe féminin. C'est dire que la subculture des *hijras* s'étaye sur le foisonnement de dieux et d'humains intersexués, changeant de sexe, androgynes, etc., que fournissent les mythologies et traditions de l'Inde, où interfèrent aussi érotisme et pouvoir créatif de l'ascétisme. Le rôle rituel des *hijras* suppose qu'ils soient non seulement asexués mais a-sexuels. Pourtant, beaucoup pratiquent la prostitution. Le terme de *hijra* ne se confond pas avec ceux désignant un homosexuel ou un homme efféminé, et eux-mêmes insistent sur l'idée que leurs partenaires ne sont pas homosexuels. Ils désigneront un partenaire régulier comme leur « mari », dont ils sont « l'épouse ». Les *hijras*, principalement issus de milieux pauvres, vivent en communautés intercastes et interclasses, dans une relation hiérarchique maîtres/disciples – spirituelle et économique –, et recréent symboliquement entre

Hijra de l'Inde

eux des liens de parenté. Mieux que la mendicité rituelle ou les rétributions reçues lors des fêtes familiales, les revenus de la prostitution permettent à ces communautés de vivre. Elles assurent aussi une sécurité affective et physique contre la stigmatisation.   N.-C. M.

(*Voir* Neither man nor woman : the hijras of India, *de Serena Nanda, Belmont (CA), Wadsworth, 1990.*)

est admis en ethnologie que « l'échange des femmes » à travers l'alliance assure aux hommes le contrôle des capacités reproductrices féminines. Mais la fécondité des femmes est généralement traitée comme un donné « naturel ». Or Paola Tabet a démontré pour un grand nombre de sociétés qu'entre la capacité et le fait de procréer s'interposent des manipulations sociales sur le corps, la sexualité et la volonté des femmes, afin de rentabiliser les possibilités biologiques.

Ceci est permis par deux particularités de l'espèce humaine : sa relative infertilité par rapport à d'autres mammifères : il faut donc assurer la régularité et la fréquence de rapports hétérosexuels, principalement par le mariage ; la dissociation, chez la femelle humaine, entre pulsion sexuelle et mécanismes hormonaux de la procréation : il faut donc transformer l'organisme psycho-physique des femmes pour canaliser un désir normalement polymorphe vers l'hétérosexualité, et les spécialiser à des fins reproductives.

Les moyens vont de l'intériorisation des normes par l'éducation jusqu'à la coercition, de la surveillance des événements physiologiques jusqu'au « marquage » symbolique mais aussi physique (mutilations génitales) des femmes comme corps reproducteur. Leur sexualité s'exerce dans des rapports de reproduction : gestion de l'instrument de production (le corps), des conditions et rythmes du travail (imposition des grossesses), de la qualité du produit (garçon ou fille), etc. – sous le contrôle et au bénéfice social ultime des hommes.

Passons à l'aspect économique du genre, ce qu'on appelle habituellement la division « sexuelle » du travail et qu'il vaudrait mieux qualifier de « socio-sexuée ». L'idée courante est que la répartition des tâches serait une conséquence des contraintes « objectives » de la procréation féminine. A l'inverse, Claude Lévi-Strauss, insistant sur le caractère artificiel de la famille, voit dans la division du travail *un moyen de créer entre les sexes une mutuelle dépendance, sociale et économique [...] les amenant par là à se perpétuer et à fonder une famille*. Mais cette mutuelle dépendance est asymétrique : outre leur lourd travail reproductif et la quasi-totalité du travail domestique, les femmes assurent la plus large part de la production. Selon l'ONU, elles fournissent les deux tiers des heures de travail de l'humanité, tandis que les hommes reçoivent 90 % du revenu mondial et possèdent 99 % des biens matériels.

Il faut donc dépasser l'idée d'une simple « répartition naturelle » du travail et considérer les rapports de production entre les sexes. Les hommes se réservent le contrôle des moyens de production clés (outils, techniques, terre, capitaux, main-d'œuvre) et des moyens de défense et de violence – d'où leur maîtrise de l'organisation symbolique et politique.

La hiérarchisation socio-sexuée du travail – clef de voûte de la différenciation du sexe en genres – et la manipulation sociale des différences naturelles dans la procréation montrent que l'organisation familiale et sociale consacre un ensemble de droits du sexe/genre « homme » sur le sexe/genre « femme » et exacerbe les différences « biologiques » entre les sexes en éliminant leurs similitudes. Ainsi passe-t-on, dans l'analyse, de l'idée de deux catégories dites jusqu'alors « biosociales » à celle d'une réalité entièrement socio-sexuée, entre deux classes de sexe. La tendance actuelle dans les recherches anglo-saxonnes, et dans les mouvements féministes et homosexuels, est de ne plus traiter que du « genre ». Encore est-il souvent restreint à ses aspects superficiels ou partiels (allure, vêtement, sentiments individuels de l'identité). Or nous avons vu que le sexe (la définition qu'en donne chaque société) fonctionne de fait comme paramètre dans les rapports sociaux concrets. C'est pourquoi je parle de « sexe social ». ■

Les catégories de sexes

PAR HÉLÈNE ROUCH,
PROFESSEUR AGRÉGÉ DE BIOLOGIE
RATTACHÉE AU CENTRE D'ETUDES ET DE RECHERCHES FÉMINISTES
DE L'UNIVERSITÉ PARIS-VII

■

L'activité scientifique, inscrite dans un contexte où la domination
masculine cherche toujours à se maintenir, peut être soutenue par,
et soutenir en retour, une idéologie sexiste, en enracinant l'inégalité sociale
des hommes et des femmes dans le biologique.

La longue histoire de la notion de sexe montre les liens complexes qu'entretiennent les rapports de pouvoir dans la société et leurs représentations culturelles avec les constructions scientifiques de l'objet sexe. Comme ces rapports de pouvoir se marquent par une domination des hommes sur les femmes, on sera évidemment enclin à les juger sexistes. Et à chercher comment la rationalité scientifique, en arguant d'une inégalité de nature entre les sexes qui légitime l'ordre social, peut soutenir une idéologie sexiste.

Thomas Laqueur, dans *La Fabrique du sexe* (Gallimard, 1992) montre comment, de l'Antiquité à l'aube du XXe siècle, deux modèles successifs de la différence des sexes ont été à l'œuvre dans la société occidentale. Le premier, qui perdure jusqu'au XVIIIe siècle, ne fait exister qu'un seul sexe, le sexe masculin, le sexe féminin n'en étant sur le plan anatomique que l'envers internalisé, un état non achevé du sexe. Le second reconnaît deux sexes radicalement opposés, incommensurables, plus différents qu'inégaux, avec chacun ses caractéristiques anatomiques et physiologiques spécifiques. En réalité, les deux modèles ont toujours coexisté et Laqueur insiste sur le fait qu'un même corpus de connaissances peut donner lieu à des interprétations contradictoires de la différence des sexes, autrement

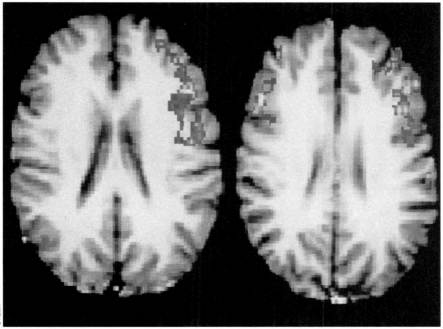

SYGMA

Le cerveau a-t-il un sexe ?
Des tests portant sur l'orientation dans l'espace et sur le langage, associés à l'imagerie cérébrale, montrent que les hommes sont plus latéralisés que les femmes. Ces tests ne portent que sur des fonctions simples, non généralisables aux fonctions plus complexes que sont la mémoire, ou l'intelligence. Aucune différence de structure cérébrale n'a pu être mise en corrélation rigoureuse avec des différences d'aptitudes selon le sexe.

H. R.

dit que les sciences qui décrivent les sexes confèrent langage et structure au modèle, mais ne le créent pas, le choix du modèle dominant émanant du contexte socio-historique.

On peut alors se demander pourquoi, quel que soit le modèle, il aboutit à une infériorisation systématique des femmes, d'ordre à la fois physique et social. Et émettre l'hypothèse que dans une société où les femmes sont assujetties aux hommes, tout discours – *a fortiori* scientifique – qui confortera la supériorité masculine, qu'on la prétende naturelle ou issue de différences non moins naturelles, se trouvera valorisé.

L'idéologie sexiste si prégnante par exemple dans les textes médicaux du XIXᵉ siècle fait actuellement figure d'anachronisme. On peut néanmoins essayer de repérer, sur quelques points, combien elle perdure. Aujourd'hui comme hier, les marqueurs du sexe installent dès la naissance les garçons dans la positivité et les filles dans le manque, puisque c'est la présence ou l'absence du pénis et du scrotum qui décide du sexe attribué au bébé. Simple effet de l'importance de ce qui se voit, dira-t-on. Pourtant, comme le souligne Anne Fausto-Sterling (*Life in XY Corral*, Women's Studies International Forum, 12, 3), les recherches menées au cours des années 80 sur la détermination génétique du sexe témoignent de la quête obstinée d'un marqueur positif du côté du masculin : le chromosome Y, puis le gène TDF, abandonné pour le ZFY, retrouvé sous la forme du SRY. En effet, les ébauches des gonades étant les mêmes dans les deux sexes, sans chromosome Y elles évoluent « automatiquement » vers l'appareil génital femelle, alors que s'il y a un Y, ce développement est inhibé (on dit d'ailleurs que Y domine X) au profit du développement de l'appareil génital mâle ; selon ce raisonnement, les femmes seraient davantage des non-XY que des XX. Cette construction chromosomique et anatomique du sexe instaure une bicatégorisation dont l'un des deux termes est du côté du visible, du positif, de l'actif. Les anomalies morphologiques et anatomiques ne troublent guère ce modèle, car, peu nombreuses, elles seraient explicables par des mécanismes génétiques.

Les choses pourraient se compliquer avec la différenciation fondée sur les caractères sexuels secondaires dont l'apparition est due aux hormones sexuelles. La très grande variation de ces caractères à l'intérieur de l'espèce fait que, pris isolément, ils ne peuvent indiquer à coup sûr le sexe de l'individu. Dans ces conditions, il serait plus juste de parler d'un continuum des sexes, réparti sur un axe dont seules les extrémités correspondraient à des phénotypes indéniablement mâle ou femelle. Londa Schiebinger dans son ouvrage *The Mind Has no Sex (*Harvard University Press, 1989) date du milieu du XVIIIe siècle l'apparition des premières représentations du squelette féminin. La différence des sexes ne se limite alors plus, dit-elle, aux seuls organes génitaux, mais gagne le corps entier : repérée sur le squelette par les anatomistes, elle « *pénètre chaque muscle, veine et organe attaché au squelette et modelé par lui* ». Le squelette, essentiellement au niveau du bassin et du crâne, devient un caractère sexuel majeur.

Pourtant, Evelyne Peyre (« Sexe biologique et sexe social », *in Sexe et Genre*, éd. du CNRS, 1991) montre que dans une même population, si deux tiers des individus possèdent un squelette dont les caractères sont en accord avec leur sexe génital, les autres, en position médiane, ont soit des caractères osseux homogènes mais intermédiaires entre mâle et femelle, soit des caractères très marqués sexuellement mais contradictoires entre eux. De plus, la comparaison entre groupes humains fait apparaître que des caractères considérés comme masculins dans une population sont féminins dans une autre : par exemple, « *le bassin des Esquimaux est "féminin" comparé au bassin des Européens* ». Ce qui, en anthropologie, rend très risquée la détermination du sexe à partir des seuls os, surtout s'ils sont fragmentaires.

Sauf à limiter la définition du sexe à la seule fonction reproductive (laquelle exige effectivement deux sexes producteurs de gamètes différents), force est d'admettre qu'il s'agit là d'une impasse de la bicatégorisation des sexes déjà annoncée par les anatomies « hors normes ».

C'est le modèle de la reproduction sexuée qui fait la différence des sexes, alors que les individus ont un corps sexué de façon si complexe (des gènes au corps entier et du corps physique au corps comportemental) qu'il faut beaucoup d'aveuglement ou d'acharnement pour ne pas au moins convenir qu'il existe des différences qui rendent l'entreprise de stricte bicatégorisation proprement fictionnelle. A moins qu'il ne s'agisse de maintenir à tout prix cette bicatégorisation afin de protéger – et peut-être de contraindre les corps à – une hétérosexualité reproductive.

Cette recherche de la bicatégorisation et ses avatars sont remarquablement illustrés par Nelly Oudshoorn dans *Beyond the Natural Body* (Routledge, 1994), ouvrage dans lequel elle retrace les épisodes de la découverte des hormones sexuelles. Le début du XXe siècle voit s'ouvrir le champ de l'endocrinologie, occupé dans un premier temps, en ce qui concerne la sexualité, par les gynécologues et les biologistes. La conception prédominante, conforme à la bicatégorisation anatomique du sexe, est alors qu'il y a deux hormones sexuelles (une mâle et une femelle), produites par des organes spécifiques (le testicule et l'ovaire) et qui remplissent une fonction spécifique (la différenciation sexuelle).

Mais ce modèle sera mis à mal à partir des années 20, surtout avec l'entrée des biochimistes dans ce domaine de recherche : on s'aperçoit qu'ovaires et testicules produisent les deux types d'hormones, que les glandes surrénales les fabriquent également, qu'œstrogènes et androgènes sont très voisins sur le plan chimique et dérivent d'un même métabolisme. C'est en fait leur taux relatif dans l'organisme qui fait basculer les caractères sexuels du côté de la féminité ou de la masculinité. Nelly Oudshoorn souligne à cet égard que si les sexes sont définis à partir de leurs taux hormonaux, ils se répartissent pour les chercheurs en endocrinologie selon un continuum, « *en une fluide transition quantitative du mâle vers la femelle* ». Mais la pratique médicale qui ramène ces taux très variables suivant les individus et leur âge à des taux « normaux », crée, là encore, des types « homme » et « femme », sortes d'essences hormonales qui absorbent la diversité des individus.

Cette histoire s'est répétée quand on a cru que la régulation des hormones sexuelles par le complexe hypothalamo-hypophysaire était due à des hormones hypophysaires différentes, ultérieurement identifiées comme identiques (elles portent d'ailleurs chez le mâle les noms créés pour la femelle). Mais là encore la bicatégorisation resurgit : une régulation des hormones sexuelles à taux constant caractérise le mâle, à taux variable, elle caractérise la femelle – d'où les inévitables et discutables extrapolations à la variabilité des humeurs féminines.

Par ailleurs, il ne faut pas oublier, dit Nelly Oudshoorn, comment les corps construits comme corps hormonaux ont été manipulés pour produire des connaissances scientifiques ; comment, en regard de contraintes techniques et d'une situation socio-historique déterminée, les enjeux des chercheurs, des médecins et des laboratoires pharmaceutiques se sont rencontrés pour que soient menées sur les corps des femmes, et non sur ceux des hommes, les expérimentations qui ont abouti aux techniques de la contraception chimique (et on ne songe pas ici à nier la libération qu'a constituée pour les femmes l'utilisation de la pilule).

Cet axe de réflexion critique peut logiquement être appliqué à la procréation médicalement assistée : ici les corps sont construits comme producteurs de gamètes, avec la paradoxale tentative d'inverser, pour les besoins de la fécondation artificielle, les conditions biologiques de cette production : il faut non seulement que les ovaires produisent plusieurs ovocytes au lieu d'un seul, mais aussi que les ovocytes soient externalisés (l'ovaire devrait-il fonctionner comme un testicule ?) ; à l'inverse, si peu de spermatozoïdes sont nécessaires qu'il devient possible de n'en utiliser qu'un seul, et qu'on va jusqu'à les prélever dans le testicule.

S'il y a brouillage des catégories sexuelles dans ces manipulations quelque peu sophistiquées qui, à cette occasion, font des hommes et des femmes des êtres désexualisés (la sexualité n'est plus nécessaire) et même désexués (les corps ne sont plus que les supports des gamètes), l'idéologie sexiste ne se situe pas là. Elle est dans les règles qui en feront des pères et des mères, ce qui rétablit la bicatégorisation : quels que soient les imbroglios provoqués par les dons de gamètes et les « prêts » d'utérus, au bout du compte on n'admet qu'un père et une mère. Elle est aussi, comme à l'époque de la mise au point de la contraception, dans l'occultation de ce que ces pratiques, surtout à leur début, ont entraîné comme traitements douloureux, voire dangereux, pour les femmes : corps instrumentalisés au point de disparaître, puisqu'on évaluait la technique en comptabilisant, non les sujets, mais les grossesses par cycle d'induction hormonale ou par cycle de transfert d'embryons, de même que dans la contraception on testait l'efficacité de la pilule en nombre de cycles menstruels ou d'années-femme.

Il y a bien deux sexes, ou plutôt il y en au moins deux qui sont capables d'effectuer la reproduction sexuée. Mais les hommes et les femmes qui portent les insignes de ce sexe reproductif ne sont pourtant réductibles ni à leurs gènes, ni à leur anatomie, ni à leurs taux d'hormones, bref pas à ce qui les différencie pour la procréation. Ce qu'on a voulu montrer, bien trop rapidement sans doute, c'est que l'activité scientifique, inscrite dans un contexte où la domination masculine cherche toujours à se maintenir, peut être soutenue par, et soutenir en retour, une idéologie sexiste, en enracinant l'inégalité sociale des hommes et des femmes dans le biologique et en établissant des pratiques discriminatoires à l'égard des femmes. ■

La procréation sans sexualité

PAR JACQUES GONZALÈS,
BIOLOGISTE DU GROUPE HOSPITALIER PITIÉ-SALPÊTRIÈRE, PROFESSEUR
À L'UNIVERSITÉ PIERRE ET MARIE CURIE-PARIS-VI

■

La mise au point des procédures de fécondations « in vitro » et « assistée »
contribue à affranchir la sexualité humaine de sa référence obligée à la
procréation. Quel avenir nous réservent ces innovations technologiques ?

Tout être humain porte en lui une double singularité physique et
psychique : il n'est pas une copie, une reproduction de l'un de
ses parents, mais un « original » issu de la fusion de leur patrimoine génétique, à part égale. Le terme de procréation doit par conséquent être préféré à celui de reproduction.

La procréation sans sexualité n'est pas une innovation du XXᵉ siècle,
mais c'est au cours de ce siècle que le savoir des hommes sur leur génération a connu un développement prodigieux, avec la découverte
des hormones, l'essor de la génétique et le maniement de technologies
nouvelles.

L'histoire des idées et des faits peut permettre de préciser le sens de
termes médicaux utilisés couramment, comme insémination et fécondation in vitro. Trop souvent encore, des erreurs de vocabulaire
créent des malentendus sur l'assistance médicale à la procréation
(AMP), sources d'extrapolations ou motifs de divagations malencon-
treuses, individuelles voire collectives.

La première insémination chez l'humain a été pratiquée à la fin du
XVIIIᵉ siècle, en 1791. Un couple ne pouvant concevoir naturellement,
le mari souffrant d'une malformation du pénis, eut recours sur les
conseils de John Hunter, un célèbre chirurgien et anatomiste écos-

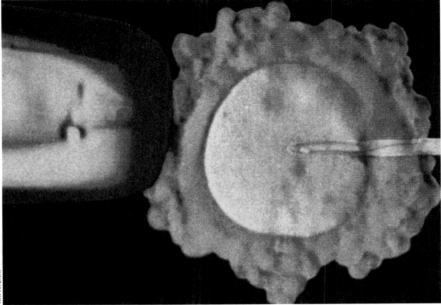

ARFIV/CNRI

La fécondation « assistée »

S'adressant aux cas où le déficit spermatique est majeur, les fécondations « assistées » regroupent des techniques de micromanipulation réalisées en laboratoire à la suite d'une procédure de Fivete classique. Elles visent à faciliter l'accès des spermatozoïdes jusqu'à l'ovocyte. Elles sont diverses, les deux principales étant connues sous les sigles SUZI et ICSI Le SUZI (SUbzonal Injection) consiste à injecter quelques spermatozoïdes sous la zone pellucide. Ce procédé utilisé lorsque les spermatozoïdes sont immobiles, incapables de franchir par eux-mêmes cette enveloppe, a permis la naissance d'un premier enfant en 1988. L'ICSI

(IntraCytoplasmic Sperm Injection) ou « microinjection » a été découvert en 1992 et a été suivi de naissances en 1993. Dans l'ICSI, un spermatozoïde suffit par ovocyte : il est injecté directement dans le cytoplasme de l'ovocyte à l'aide d'une micropipette. Il ne provient pas toujours de l'éjaculat obtenu par masturbation. Il peut être recueilli chirurgicalement dans l'épididyme, au sommet du testicule, lorsqu'un obstacle sur les conduits génitaux interdit son cheminement. Les spermatozoïdes peuvent même être isolés à partir d'un prélèvement testiculaire s'il n'y en a pas dans l'épididyme.

Comme certaines pathologies génétiques, la mucoviscidose par exemple, s'accompagnent de stérilités masculines, une enquête génétique est réalisée pour préciser les risques pour l'enfant à venir, en sachant que la stérilité sera transmise à coup sûr s'il naît un garçon. Des cellules plus immatures encore que les spermatozoïdes, les « spermatides », dont le nombre et la qualité des chromosomes sont les mêmes que ceux des spermatozoïdes, ont aussi été utilisées pour des ICSI. On peut estimer le nombre de fécondations assistées réalisées en France à dix mille par an, essentiellement par ICSI.

J. G.

sais, à un artifice : le sperme, recueilli par masturbation, fut injecté par le mari, à l'aide d'une seringue préalablement tiédie, dans le vagin de son épouse... un enfant naquit.

Cette première médicale n'est révélée à la communauté savante qu'en 1799 par Everard Home, le propre beau-frère de Hunter – qui ajoute ce commentaire : *« Sur un tel sujet, il convient de parler avec une grande prudence. »*

Au cours du XIXᵉ siècle, en France, quelques inséminations sont ainsi pratiquées, dans la plus grande confidentialité, par d'éminents spécialistes – à commencer dès 1804 par Michel-Augustin Thouret, le doyen de la faculté de médecine de Paris en personne. En 1871, Fabien Gigon signale dans sa thèse que quatorze couples (dont certains à New York) ont été ainsi traités dans la plus grande discrétion. Quand Joseph Gérard, un étudiant âgé de cinquante ans qu'on surnomme déjà le « faiseur d'hommes » tant sa réputation est tapageuse, veut en 1885 soutenir sa thèse intitulée « Contribution à l'histoire de la fécondation artificielle », le titre de docteur lui est refusé. Ce sujet vient en effet de soulever quelques scandales dans l'opinion. Cet épisode exceptionnel dans les annales de la faculté est suivi d'autres polémiques, qui conduisent finalement le Saint-Siège de Rome à interdire l'insémination en 1897.

La première insémination avec un sperme extra-conjugal est pratiquée aux Etats-Unis, en 1884, à l'instigation de William Pancoast, un célèbre professeur de médecine, sur une femme endormie à l'éther. Le donneur avait été choisi par Pancoast parmi les meilleurs étudiants de l'Université de Philadelphie où il enseignait.

Fécondation in vitro

La Fivete, dont le premier succès remonte à 1978, comporte trois phases : l'hyperstimulation hormonale des ovaires ; leur ponction précédée, une trentaine d'heures, plus tôt par le déclenchement hormonal de l'ovulation ; et le transfert des embryons dans l'utérus deux-trois jours plus tard. La surveillance de l'hyperstimulation des ovaires est faite par des dosages hormonaux et des échographies mesurant la croissance des follicules ovariens (sphères remplies de liquide, contenant l'ovocyte). La ponction des follicules arrivés à maturité par le « déclenchement » est réalisée juste avant l'ovulation, soit par cœlioscopie soit, de plus en plus souvent, sous échographie, sans ouverture de l'abdomen et sans anesthésie générale. Les ovocytes sont placés dans un milieu de culture ainsi que les spermatozoïdes, débarrassés *in vitro* du liquide séminal. Dans les cas favorables, après 48 heures de culture, les ovocytes apparaissent « clivés », formés de quelques cellules juxtaposées, l'ensemble prenant le nom d'embryon. Les embryons sont alors « transférés » dans la cavité utérine à l'aide d'une fine sonde introduite par les voies naturelles. En France, chaque année, 20 000 Fivete sont pratiquées, sans compter les « fécondations assistées », et 16 400 enfants ainsi conçus sont nés entre 1986 et 1994. En 1993, 157 000 ponctions ont été pratiquées par 771 équipes dans le monde, et 24 400 naissances au total ont été enregistrées. J. G.

On peut s'étonner de ces réussites, en un siècle où la période fertile de la femme est encore totalement ignorée. C'est en 1904 que Theodor Van de Velde décrit la courbe de température au cours du cycle féminin, sans toutefois pouvoir expliquer son allure biphasique – la découverte des deux hormones produites par les ovaires datant de 1929 ; vers 1930 les travaux de Emil Knaus et Kiusaku Ogino permettent enfin de repérer la date de l'ovulation. La responsabilité de la progestérone dans la montée de la température ne sera perçue qu'à la fin des années trente.

En octobre 1948, l'insémination fait l'objet pour la première fois à Paris d'un enseignement officiel : à cette date, 300 auraient été pratiquées en France, 6000 aux Etats-Unis.

L'histoire de cette technique est marquée en 1949 par la découverte accidentelle que des spermatozoïdes de coq peuvent être congelés (en présence de glycérol) sans perdre leur pouvoir fécondant. Ce procédé de congélation utilisant des cryoprotecteurs est étudié sur des mammifères, et est bientôt appliqué à l'espèce humaine ; en 1953, des grossesses sont signalées au Japon et aux Etats-Unis après insémination de spermatozoïdes décongelés. Le sperme pouvant désormais être conservé, le principe de créer une banque de sperme destinée aux couples stériles est envisagé. C'est ainsi qu'aux Etats-Unis Jerome K. Sherman voit son projet aboutir en 1962. En France, la première banque de ce type est créée en 1973, à l'initiative et sous la conduite de Georges David.

Cette conservation s'est étendue, au fil des ans, aux hommes qui, en raison d'un traitement contre un cancer par exemple, risquent de subir une destruction irrémédiable de leur fonction procréatrice. Avant d'entreprendre une telle thérapeutique, des échantillons de sperme peuvent être recueillis et conservés pour leur seul usage éventuel : ils ne peuvent servir de dons et sont détruits en cas de décès.

La fécondation in vitro et transfert d'embryons (Fivete) est mise au point dans les années 70. Cette technique de procréation artificielle dif-

---

La congélation d'embryons

Puisqu'on ne peut congeler les ovocytes avec fiabilité, la congélation d'embryons a été mise au point pour préserver les embryons dits excédentaires, ceux qui ne sont pas transférés dans l'utérus.

Après leur décongélation et leur transfert à leur tour, ils offrent une nouvelle chance de grossesse pour la femme sans repasser par la stimulation et la ponction. Le premier succès date de 1984, avec la naissance en Australie d'une petite fille. La congélation et la conservation d'embryons sont effectuées en France dans des centres accrédités. Le couple indique chaque année ses intentions : il peut décider d'abandonner les embryons, en faire don anonymement à un couple stérile. En cas de dissolution du couple, par séparation ou décès d'un des membres, les embryons ne peuvent plus être à la disposition d'un seul individu. En France, 102 000 embryons ont été congelés entre 1985 et 1993.　　　　J. G.

---

fère de l'insémination sur deux points essentiels : les ovules (ou mieux les ovocytes, car leur maturation n'est complètement achevée qu'en cas de fécondation) sont prélevés par ponction chirurgicale des ovaires ; la rencontre des gamètes (ovocytes et spermatozoïdes) s'effectue hors de l'organisme de la femme ; la fécondation peut être observée avec une forte loupe ou un microscope, tout comme le développement embryonnaire.

Après dix ans de recherches, le biologiste Robert Edwards, aidé par le gynécologue Patrick Steptoe voit ses efforts récompensés par la naissance, en juillet 1978, d'un enfant conçu *in vitro* : la preuve est faite que la Fivete constitue une alternative efficace, quand la rencontre des gamètes *in vivo* dans les trompes est impossible, en raison d'un obstacle que la chirurgie ne peut lever.

D'autres enfants ainsi conçus vont naître en Angleterre, en Australie, aux Etats-Unis et, en 1982, en France, sans risque accru de malformations apparentes.

L'augmentation du nombre d'ovocytes majorant le nombre d'embryons formés – et par conséquent les chances de succès –, toutes les équipes médicales décident de provoquer une hyperstimulation des ovaires en utilisant des hormones. Mais la méthode n'est pas sans risques : une hyperstimulation oblige quelquefois à hospitaliser les femmes traitées, et surtout, bien des grossesses sont multiples en raison du nombre d'embryons transférés dans l'utérus. La congélation d'embryons sera proposée comme solution à ce problème.

Les succès de la fécondation *in vitro* s'étendront aussi à d'autres formes de stérilité féminine que l'obstruction des trompes, mais force est de constater que la Fivete ne résout pas tous les problèmes de stérilité conjugale, en particulier lorsqu'existe une insuffisance quantitative ou qualitative des spermatozoïdes impliquant encore le recours à des spermes de donneurs. Cette solution est évidemment frustrante pour ces couples. Des variantes de la Fivete leur sont proposées vers 1985, comme le GIFT *(Gametes Intra Fallopian Transfer)* : son principe consiste à transférer à la fois les

Le diagnostic préimplantatoire
Cette procédure technique implique une fécondation *in vitro*, puisqu'il s'agit d'analyser le contenu génétique de l'embryon avant son transfert dans l'utérus. Sa réalisation nécessite un prélèvement par micromanipulation d'une cellule, soit pour déterminer le sexe de l'embryon comme l'a fait pour la première fois A. Handyside en 1990, soit pour caractériser directement une mutation responsable d'une maladie familiale gravissime et incurable comme une mucoviscidose.
Cette technique encore expérimentale pose des problèmes éthiques et législatifs et n'est autorisée qu'à titre exceptionnel en France. Actuellement, quatorze centres dans le monde pratiquent le diagnostic préimplantatoire, le plus souvent afin d'écarter le risque d'une maladie liée au chromosome X, bien plus riche en gènes que le chromosome Y.   J. G.

L'insémination artificielle

Ce geste effectué pour la première fois en 1791 avait consisté à introduire le sperme dans le vagin de la femme. Aujourd'hui, l'insémination est pratiquée :

– soit en injectant à l'entrée du col de l'utérus (insémination intra-cervicale), du sperme entier (les spermatozoïdes sont impropres à la fécondation dans le liquide séminal ; ils trouvent un milieu favorable dans le mucus cervical précisément abondant au moment de l'ovulation. Ceux qui sont mobiles migrent dans l'utérus). Cette technique est proche de ce qui se passe in vivo.

– soit en injectant à l'intérieur de la cavité utérine (insémination intra-utérine), les spermatozoïdes, depuis que l'on sait les débarrasser in vitro du liquide séminal.

L'insémination, un acte indolore, est effectuée au moment de l'ovulation au cours d'un cycle spontané ou modérément stimulé.

L'insémination peut être faite avec le sperme du Conjoint (IAC). Pour certaines stérilités masculines, le couple accepte le recours à une insémination avec le sperme d'un Donneur (IAD) selon des modalités législatives qui varient d'un pays à l'autre. En France, le couple demandeur doit faire une démarche auprès d'un Cécos. (Centre d'étude et de conservation du sperme). La période d'attente est d'un an minimum.

Le donneur est un homme âgé de moins de 45 ans, père lui-même, et qui subit un examen médical approfondi pour prouver sa bonne santé physique et mentale.

Le don de sperme destiné aux couples dont l'homme est stérile est anonyme, mais chaque don est dûment analysé pour s'assurer de son absence de contamination bactérienne ou virale. C'est l'une des raisons pour lesquelles une insémination par utilisation de sperme frais est interdite en France. L'échantillon de sperme conservé à -196 °C dans l'azote liquide est répertorié pour que ses caractéristiques (groupe sanguin, et couleurs de la peau, des cheveux et des yeux du donneur) soient compatibles avec celles du demandeur. Les paillettes de sperme servent à une insémination ou à une fécondation in vitro. Le nombre d'inséminations n'est pas limité en théorie. L'auto-conservation est un cas particulier : elle s'adresse à des hommes encore jeunes, atteints d'affections malignes contre lesquelles un traitement efficace risque de détruire, en même temps que les cellules malignes, les cellules testiculaires qui aboutissent à des spermatozoïdes. Les paillettes de sperme ainsi congelé ne servent pas au don ; elles sont uniquement destinées à l'intéressé quand il sera guéri, s'il désire avoir un enfant.

Aujourd'hui la France possède vingt Cecos : ils ont permis la naissance d'environ 30 000 enfants par insémination.

J. G.

ovocytes (obtenus par ponction ovarienne) et les spermatozoïdes dans une trompe de Fallope – encore faut-il que l'une d'elles soit perméable.

Cette technique respectant en apparence mieux la nature n'a pas donné les résultats escomptés. Elle a en outre l'inconvénient d'être aveugle, puisqu'on ignore s'il y a fécondation ou non, et d'être imprécise, n'ayant aucune maîtrise sur le nombre d'embryons susceptibles de s'implanter.

Une nouvelle voie de recherches se dessine en 1988 : celle des « fécondations assistées », visant à mettre des spermatozoïdes peu mobiles tout au contact de l'ovocyte. A l'aide d'une micropipette en verre, quelques spermatozoïdes sont introduits sous la « zone pellucide », la coque qui entoure l'ovocyte. Cette technique du SUZI *(SUbZonal Injection)*, qui a conduit à la naissance d'un premier enfant en 1989, va aboutir à une découverte accidentelle en 1992, suite à l'injection par mégarde d'un spermatozoïde à l'intérieur même d'un ovocyte. Contre

Vers quels avenirs ?

Parmi les avancées scientifiques attendues dans un avenir proche, ou tout à fait probables, citons la congélation d'ovocytes, l'établissement de la carte du génome humain ou encore le tri des spermatozoïdes X et Y. Quelles seraient les incidences de ces trois mises au point ? Réussir à congeler des ovocytes permettrait de les féconder un à un, d'augmenter probablement les chances de grossesses pour chaque femme ayant recours à une Fivete. Le risque de grossesses multiples serait réduit, identique à celui rencontré dans les conditions naturelles. Il n'y aurait plus d'embryons « excédentaires » et les problèmes pratiques et éthiques posés par la congélation d'embryons deviendraient obsolètes. De nouvelles perspectives s'offriraient pour le don d'ovocytes, autorisé par la loi, et pour lequel la demande dépasse largement l'offre. L'ensemble du génome humain sera bientôt connu. La mise à disposition d'un nombre important de sondes génétiques susceptibles de dépister des anomalies géniques constitue une autre certitude. Le diagnostic pré-implantatoire n'en deviendra que plus performant et plus fiable. Aujourd'hui aucune méthode ne permet de séparer les spermatozoïdes X des Y avec un rendement de 100 % ; il faut attendre le stade de la fécondation pour établir le sexe des embryons. Si ce tri était réalisé avant ce stade, il ne serait plus nécessaire de recourir à une Fivete pour éviter la naissance d'un enfant atteint d'une maladie liée au sexe. Il suffirait de faire des inséminations avec le sperme préparé de façon adéquate. Au travers de ces trois exemples, on devrait s'attendre à une simplification à venir de l'éthique. Chaque possibilité scientifique nouvelle pose en fait le problème de nouvelles limites à accepter par la société.

Des dérives effraient à juste titre : beaucoup relèvent de fantasmes alimentés par l'extrapolation à l'homme de pratiques utilisées chez l'animal, comme le clonage. L'utilisation de spermatides de plus en plus immatures en microinjection ne doit pas non plus faire envisager celle de cellules provenant de toute partie du corps. Les embryons non transférés porteurs d'un gène anormal pourraient-ils être congelés pour attendre une thérapie... dans quelques décennies ou quelques siècles ? C'est de la science-fiction, tout comme les manipulations génétiques qui créeraient de nouvelles espèces humaines. Mais il est vrai que les hommes qui craignent encore de descendre du singe doivent s'attendre au pire : les scientifiques soupçonnent que nous partagions des gènes avec la mouche de vinaigre... La procréation artificielle a repoussé des limites en

toute attente se produit une fécondation normale. Gianpiero Palermo et l'équipe de André Van Steirteghem installée à Bruxelles ont ainsi découvert la technique de microinjection avec la naissance en janvier 1993 d'un enfant normal. Depuis cette date, cette forme particulière de Fivete n'a cessé de se diffuser, malgré les réserves émises à son encontre. Elle semble en effet résoudre l'immense majorité des cas de stérilité masculine pour lesquels jusqu'ici aucune solution efficiente ne pouvait être proposée ; malheureusement elle entraîne l'obligation pour les conjointes de subir une fécondation in vitro, même si elles ne souffrent d'aucun problème de stérilité.

Depuis ses débuts, la Fivete n'a cessé de paraître une technique très spectaculaire, rendant visible dès son stade initial le germe de ce qui deviendra un homme. Avec elle, la procréation artificielle a largement dépassé le cadre médical et a fortement impressionné les esprits de contemporains pourtant abreuvés d'images fortes. Une autre limite a été franchie avec la possibilité de suspendre le cours de la vie humaine.

permettant par exemple d'envisager une filiation d'individus stériles de père en fils. La ménopause est une stérilité physiologique mais porter un enfant conçu par don d'ovocyte est pratiquement possible, comme on sait.

Les mentalités ont été ébranlées par certaines utilisations de la procréation artificielle, une sorte de révolution des mœurs se dessinant.

Le XXe siècle a été marqué par l'essor de la contraception sous plusieurs formes, dissociant de plus en plus la procréation de la sexualité, aboutissant à une programmation des naissances. Cette révolution culturelle représente un chemin jugé encore inacceptable au nom de certains principes moraux. Au XXe siècle l'usage de l'assistance médicale à la procréation (AMP) face aux dimensions mondiales de l'expansion démographique restera futile : chaque année quelques dizaines de milliers d'enfants naissent par ces techniques artificielles tandis que à chaque seconde dans le monde on dénombre 250 000 naissances consécutives à une fécondation naturelle. La place de la génétique devenue importante dans l'AMP a paru rouvrir le dossier de la « qualité » des hommes. Exceptionnel, le diagnostic préimplantatoire ne s'adresse qu'aux couples concernés par une maladie génétique grave, incurable au moment du diagnostic et préalablement identifiée. Il sera bientôt possible d'examiner une vingtaine de gènes à partir d'une cellule embryonnaire, un nombre ridicule par rapport à l'ensemble des gènes. Imaginer que le diagnostic préimplantatoire permettrait de sélectionner des êtres intelligents, c'est méconnaître les notions de base actuelles de la génétique. Qui peut croire encore à un gène de l'intelligence ? Le polymorphisme génique constitue la richesse des communautés humaines les plus soudées. Le sens dans lequel iront les indications du diagnostic préimplantatoire pose un problème plus difficile, avec la découverte des gènes de susceptibilité à une maladie par exemple : l'ouverture vers une médecine prédictive. Rappelons que ce diagnostic réclame une Fivete, c'est dire que les motivations pour connaître ces informations doivent être très fortes. L'autorisation de manipuler les cellules germinales, celles qui donnent naissance aux gamètes, mériterait un moratoire, même si les intentions reposent sur des arguments précis et limités. La pérennité des thèses racistes prouve que les hommes n'ont pas perdu leurs instincts animaux. Si, au siècle prochain, ils s'ouvrent plus à l'Histoire et à toutes les cultures, ils gagneront en compréhension mutuelle et accepteront mieux ceux qui sont amenés à procréer artificiellement.

J. G.

Au début des années 80, la Fivete semble triompher, à chaque fois que les médias annoncent qu'une femme jusque-là stérile s'apprête à accoucher de quadruplés – voire plus – grâce aux « progrès de la Science ». Ces grossesses multiples font pourtant courir le risque majeur d'accouchements très prématurés compromettant le pronostic vital ou neurologique des nouveau-nés. Les spécialistes de la Fivete, eux, sont confrontés à un dilemme : plus le nombre d'embryons transférés est grand, plus la probabilité de grossesses augmente, mais plus aussi croît le risque qu'elles soient multiples. Faut-il renoncer à la stimulation des ovaires ? Comment limiter le nombre d'embryons transférés tout en conservant les autres ? Des biologistes, des Français – notamment Jean-Paul Renard et Jacques Testart – et des Australiens, appliquent à l'homme la congélation d'embryons, une technique déjà expérimentée pour les espèces animales. En 1984 naît, en Australie, le premier enfant issu d'un embryon congelé.

Les dernières statistiques françaises montrent qu'il n'y a pas eu, en

1995, naissance de quadruplés mais que 20 % des femmes enceintes à la suite d'une Fivete accouchent de jumeaux au lieu de 1 % quand l'ovulation est spontanée, un seul ovocyte étant habituellement émis par cycle.

La congélation d'embryons a limité les risques de grossesses multiples, tout en apportant des chances supplémentaires de grossesses, sans nécessité de mettre en œuvre à nouveau une hyperstimulation sévère des ovaires. Cette possibilité est très appréciable pour les femmes dont la tentative de Fivete a échoué ainsi que pour celles qui sont heureuses d'être enceintes et d'accoucher : elles pourront en effet bénéficier ultérieurement d'une autre chance de grossesse sans avoir à subir une nouvelle ponction ovarienne. En 1987, une Britannique donne naissance à une fille née un an et demi après sa sœur, pourtant conçue le même jour. Par le biais de la congélation d'embryons, des enfants pourraient naître à plusieurs années d'intervalle : ce brouillage des générations est un danger que les spécialistes de la fiction ont saisi et majoré à l'envie. Pourtant on ne peut nier que la question de la durée de la conservation des embryons a été et reste un problème réel. Le devenir des embryons « abandonnés » a suscité en France plus d'interrogations que la recherche sur l'embryon, délibérément suspendue.

Ces questions ont pris des dimensions éthiques qui dépassaient le cadre du colloque singulier, habituel en médecine. Le corps social s'est senti concerné dans un domaine qui touche à la morale et à la législation, celle sur la filiation. Les réflexions du Comité national d'éthique créé en 1983, les dispositions légales issues de la Loi de Bioéthique promulguée en 1994, ont largement contribué à donner un cadre acceptable à ces situations délicates. Les activités d'assistance médicale à la procréation sont effectuées uniquement dans des centres dont l'accréditation officielle est révisée périodiquement.

Procréation et génétique, qui sont indissociables mentalement, se sont trouvées intimement associées dans ces toutes dernières années, avec la possibilité nouvelle de détecter une anomalie génique chez un embryon, avant son transfert dans l'utérus.

Les cellules de l'embryon, les blastomères, sont séparables les unes des autres à un stade très précoce de son développement. Retirer un blastomère à un embryon n'altère pas son évolution tant au plan qualitatif qu'au plan quantitatif, chaque cellule à ce stade ayant une valeur potentielle équivalente.

Grâce à l'utilisation des ces techniques qui en sont encore à un stade expérimental, il est possible de replacer dans l'utérus un embryon exempt de l'anomalie génique trouvée dans une famille donnée ; cela ne veut pas dire pour autant qu'il se nidera et qu'il y aura naissance. Au cours de ces vingt-cinq dernières années, la procréation artificielle a fait un bond formidable dans le sens usuel de ce mot autant que dans son sens étymologique (qui inspire la terreur).

Difficile d'imaginer ce qui se passera au XXIe siècle pourtant tout proche, sans se perdre en conjectures. Une certitude cependant : même si on peut faire le pari que des dogmes vont encore être abattus, les avancées techniques n'empêcheront pas la persistance vivace des mythes et des croyances. ■

Pour en savoir plus
● *L'homme génétique*, de A. Blocker et L. Salem, Dunod, 1994. ● *Histoire naturelle et artificielle de la reproduction*, de J. Gonzalès, Bordas, 1996.

La jouissance mystique

PAR SANDRINE HUBAUT

■

Pourquoi le Cantique des Cantiques, un dialogue amoureux chargé
d'érotisme, a-t-il été considéré comme le livre le plus saint de la Bible ?
Comment la relation charnelle a-t-elle pu servir de métaphore à l'union
mystique de l'homme et de Dieu ? Ne faut-il pas y voir autant de signes
d'une dimension spirituelle de la sexualité ?

« Qu'il me donne un baiser de sa bouche. » C'est par ce soupir de la bien-aimée que s'ouvre le *Cantique des Cantiques*. Dans ce dialogue amoureux à la sensualité vibrante, les voix se répondent et s'adressent l'une et l'autre des louanges : « *Mon bien-aimé est pour moi comme un bouquet de myrrhe, il demeurera entre mes mamelles* » ; « *Vos lèvres, ô mon épouse, sont comme un rayon qui distille le miel* ». Faut-il y voir un poème érotique profane, s'apparentant aux chants d'amour de l'Egypte ancienne ? La lecture moderne est sensible à cette dimension anthropologique, tandis que l'exégèse traditionnelle dépasse la portée immédiate du texte en lui attribuant une signification spirituelle des plus hautes.

L'interprétation juive voit de façon générale dans le *Cantique* une allégorie rapportant l'histoire de l'Alliance entre Dieu et son peuple. L'époux est identifié à Yahvé, s'adressant à l'épouse, Israël. L'expérience de la captivité à Babylone, de la délivrance puis du retour d'Israël, telle que la décrivent les textes prophétiques, serait à l'arrière-plan du *Cantique*. Il ne pourrait alors être compris hors de la référence à ceux-ci.

Il rappelle en particulier le *Livre d'Osée*, où Dieu, époux à l'amour infatigable, finit par ramener à lui l'épouse infidèle. L'énigmatique

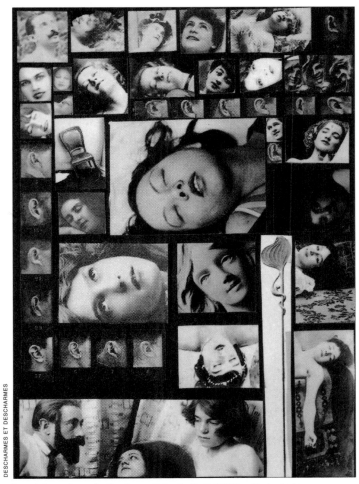

DESCHARMES ET DESCHARMES

Le phénomène de l'extase, Salvador Dali, 1933, collage photo.

sentence du début : « *Je suis noire mais je suis belle, filles de Jé-rusalem* » est lue comme une métaphore de l'infidélité d'Israël. Elle contraste avec la description ultérieure de la bien-aimée, déclarée « *sans tache aucune* ». C'est que, se détournant du péché, elle a ré-pondu à l'appel de l'Epoux (« *Lève-toi, ma bien-aimée, ma belle, viens ! »*). Le rétablissement progressif de l'Alliance est transposé dans le langage amoureux à travers le motif de la perte et des re-trouvailles des deux amants. La bien-aimée est laissée dans une so-litude inquiète : « *J'ai cherché dans mon lit, durant les nuits, celui qui aime mon âme ; je l'ai cherché, et je ne l'ai point trouvé ».* Elle doit se soumettre à l'exigence de fidélité pour que l'Epoux accepte de la rétablir dans sa position privilégiée. Elle resplendit alors telle « *un lis entre les chardons* », et scelle en son cœur le mystère de l'Alliance : « *Je suis à mon bien-aimé et mon bien-aimé est à moi.* »

Une autre interprétation regarde le *Cantique* comme un poème vantant tout simplement la beauté de l'amour humain. Il serait une œuvre de jeunesse du roi Salomon célébrant ses noces avec une princesse égyptienne. Mais son appartenance à la Bible en ferait aussi un écrit de sagesse non dénué d'intentions pédagogiques. Selon cette tradition de lecture, le *Cantique* évoque un amour unique et exclusif dans une société où se pratiquait la polygamie, il affirme une égalité parfaite de l'homme et de la femme dans le don réciproque. La sexualité est dissociée de sa fonction reproductrice et de la conception païenne qui la ramène aux rites de fécondation de la terre. Il s'agit alors de vivre à travers la sexualité la relation d'alliance pour retrouver l'innocence du Jardin d'Eden. L'atmosphère du *Cantique*, remplie de senteurs et de saveurs délicieuses, où ruisselle le vin et le miel, est toute paradisiaque.

De son côté, l'Eglise a reçu ce texte biblique comme une parole qui lui était directement adressée, lui révélant son rôle d'épouse du Christ. La métaphore nuptiale est perçue comme une voie d'accès privilégiée au mystère de l'Incarnation. L'Eglise à la fois sainte et pécheresse voit par ailleurs dans le *Cantique* l'expression de son identité paradoxale. En tant que communauté humaine, elle est composée de pécheurs. Mais le Christ-Epoux, s'étant offert à elle, la sanctifie malgré son péché par le maintien constant de son amour salvateur. Le verset où la bien-aimée déclare : « *Je suis noire mais belle, filles de Jérusalem* », est lu et commenté en ce sens et permet d'affirmer le pouvoir transcendant de la grâce. Elle seule peut transformer la souillure du péché en pureté lumineuse, car elle seule rend capable de répondre à l'amour divin par le même amour plein et entier.

Dans les premiers temps de l'Eglise, le peuple évangélisé est invité à s'identifier à la bien-aimée du *Cantique*. L'expression « *Le roi m'a introduite dans ses appartements* » est ainsi valorisée. Elle symbolise l'accès du baptisé à la chambre des noces où l'amant divin l'invite à jouir des biens spirituels. La tradition superpose donc la lecture qui interprète la bien-aimée comme l'Eglise en son sens collectif et celle qui l'identifie à l'âme individuelle.

L'accent n'est alors pas mis sur l'interprétation savante d'un livre qui n'est jugé ni difficile ni obscur. Mais une autre position mettra en garde contre l'apparente facilité d'un texte si équivoque. Les mêmes mots peuvent désigner les sentiments les plus élevés comme décrire les passions les plus charnelles. Sans en faire explicitement un texte réservé aux initiés, le théologien du IIIe siècle Origène précise que la compréhension du *Cantique* en son sens véritable et profond nécessite un certain degré d'élévation spirituelle. Il rappelle que l'Ancien Testament contient sept cantiques, qui représentent les étapes d'une progression de l'âme vers Dieu. Le *Cantique des Cantiques* est le dernier d'entre eux. A ce titre, il est le chant de la perfection de l'amour.

On ne s'étonnera pas qu'il devienne dès lors une source d'inspiration majeure pour la mystique chrétienne, comme en témoignent le commentaire d'Origène, les *Sermons* de saint Bernard sur le *Cantique des Cantiques* au XIIe siècle ou le *Cantique spirituel* de saint Jean de la Croix au XVIe siècle. Ces auteurs trouvent en ce chant l'écho de leur expérience intime d'union avec Dieu. Ils développent le thème de la « *blessure d'amour* » : consumée par un feu qui la dévore, l'âme a soif de l'Epoux et demeure tourmentée tant qu'elle ne repose en son sein. Le monde des sensations qui enveloppe le *Cantique* reflète alors les « *délices ineffables* » que procure le ravissement de l'extase, si bien décrit par sainte Thérèse d'Avila.

Chez saint Bernard, l'union charnelle entre époux sert de métaphore au mariage spirituel. Le réalisme de son étude surprend, qui explicite le déroulement de la rencontre amoureuse depuis « *la conjonction des lèvres* » jusqu'à l'intimité de la couche : « *L'époux et l'épouse, seuls à l'intérieur, jouissent d'embrassements mutuels et secrets.* » Mais de l'étreinte jaillit « *l'épanchement des joies* » qui est la récompense du ciel. Dans son commentaire, le sens littéral sert de tremplin aux réalités supérieures. Au Moyen-Age, le *Cantique* était considéré comme très saint car il introduisait à la contemplation des plus hauts mystères de la foi. Il était alors le livre le plus lu et médité dans les monastères.

Aujourd'hui, sens humain et divin sembleraient plus complémentaires que contradictoires, puisqu'ils témoignent avant tout de l'expérience de l'amour. L'image que le *Cantique des Cantiques* donne du couple apparaît d'une étonnante actualité : le langage du corps y est sollicité dans toute sa richesse sensorielle pour guider des partenaires égaux en dignité vers les joies de l'épanouissement amoureux. ■

La fabrique du sexe

Par Marc Fellous,
chercheur à l'Inserm (U 276),
professeur à l'Institut Pasteur et à l'université Paris-VII

■

Quels sont les facteurs qui sélectionnent le genre mâle ou femelle ?
Les avancées récentes de la génétique montrent qu'outre les chromosomes
sexuels, une cascade de gènes – dont certains restent à identifier –
contrôle la détermination du sexe chez l'Homme.

La sélection du genre mâle ou femelle découle de mécanismes variés et parfois complexes, comme chez l'Homme, dont le développement sexuel possède des contrôles multiples. En particulier, ces mécanismes peuvent être dictés par l'environnement, comme la température d'incubation des œufs, ou par une détermination purement génétique, comme les chromosomes sexuels des mammifères.

Les chromosomes sexuels furent observés pour la première fois par Henking, en 1891. Celui-ci remarqua chez la punaise *Pyrrochoris apterus* l'existence de deux types de spermatides (formes primitives de spermatozoïdes), différenciés par la présence ou l'absence d'un corps chromatinien distinct des autres chromosomes. Henking n'avait alors aucune idée sur ce chromosome ; peut-être pour cette raison l'appela-t-il X, pour inconnu. McClung fut le premier à suggérer, dix ans plus tard, son implication dans la détermination du sexe : ces deux types de spermatides étant produits en quantité égale, la descendance devait également être de deux types – or nous savons que la seule qualité qui sépare les membres d'une espèce en deux groupes est le sexe. Le terme « chromosomes sexuels » ne fut introduit qu'en 1925 par Edmund Wilson.

Les mécanismes de détermination du sexe à composante génétique

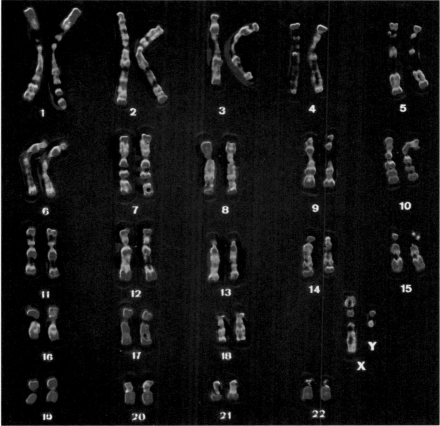

A POL/CNRI

Le sexe chromosomique

Chaque être vivant est déterminé par son génotype, c'est-à-dire l'ensemble des gènes spécifiques (des séquences d'ADN) présents dans les chromosomes. L'ensemble des chromosomes qui se retrouvent dans chacun des noyaux des cellules d'un individu est le caryotype. Celui de l'Homme comporte 23 paires de chromosomes, parmi lesquelles une paire de chromosomes sexuels, qui sont identiques chez les femmes normales (X et X) et différents chez les hommes normaux (X et Y) (photo ci-dessus). La différenciation sexuelle s'effectue en plusieurs étapes au cours du développement embryonnaire : le sexe génétique, déterminé lors de la rencontre des deux gamètes mâle et femelle et défini par la présence ou l'absence du chromosome Y au sein du spermatozoïde fécondant, le sexe gonadique, marqué par la présence d'ovaires ou de testicules, et le sexe hormonal, défini par le type masculin ou féminin des organes génitaux internes et externes. La détermination du sexe gonadique en ovaire ou en testicule constitue une étape essentielle reliant sexes génétique et hormonal. Plus tard (dès la première année, puis à la puberté) se forme le sexe comportemental, pour lequel l'environnement joue un rôle important.   M. F.

peuvent être divisés trois catégories en au moins. Dans la première, le sexe est déterminé par le nombre total de chromosomes ; les mâles reçoivent uniquement les gènes maternels, alors que les femelles reçoivent les gènes des deux parents. Par exemple, l'haplo-diploïdie (chez certains insectes, les acariens et tous les hyménoptères comme les abeilles) est un système dans lequel les femelles se développent à partir d'œufs fécondés et les mâles à partir d'œufs non fécondés. La deuxième catégorie concerne la perte ou l'inactivation du génome paternel chez trois groupes d'invertébrés (les mites, les insectes à écailles et les mouches *sciarids*) : les deux sexes proviennent d'œufs

La sélection du sexe par l'environnement

Au XIXe siècle, certains pensaient qu'un ovule mûr donnait un mâle, tandis qu'un ovule peu mûr donnait une femelle. Pour d'autres, il naissait une fille quand le père était le plus fort et le plus passionné, et un garçon si ces qualités l'emportaient chez la mère. On sait aujourd'hui que chez l'Homme, la détermination sexuelle a une origine génétique, mais chez certains animaux, il existe d'autres mécanismes. Il semble par exemple que le sexe puisse être déterminé par la température d'incubation des œufs, cette dernière pouvant modifier l'action d'enzymes telles que l'aromatase. Cette hypothèse concerne certains reptiles : une expérience a montré que des œufs d'alligators incubés sous 32°C ne donnaient que des femelles alors que des œufs incubés à 34°C au moins ne donnaient que des mâles. Chez certaines tortues, c'est le contraire : le froid favoriserait la naissance de mâles. Un autre exemple célèbre de détermination sexuelle liée à une cause externe est celui de la bonellie, un ver marin fréquent en Méditerranée. Si ses œufs rencontrent la trompe d'une femelle adulte et si cette femelle les féconde, ils donnent naissance à des mâles. S'ils échouent librement sur le fond rocheux, ils s'y fixent et donnent naissance à des femelles. Déterminations génétique et environnementale sont parfois présentes à l'intérieur d'un même groupe taxonomique, comme chez les nématodes. Ainsi, chez le ver de terre *Caenorhabditis elegans*, la détermination du sexe est chromosomique et dépend du rapport X/A, où X représente le nombre de chromosomes X et A le nombre d'autosomes (chromosomes non sexuels), alors que chez un autre ver de terre parasite de racines de plantes, c'est la densité de population, via la sécrétion de phéromones, qui influence le choix du genre sexuel. Par ailleurs, des systèmes similaires peuvent avoir évolué séparément et se retrouver dans des espèces très divergentes. On parlera dans ce cas d'évolution concertée. M. F.

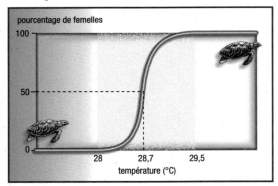

pourcentage de femelles
100
50
0
28   28,7   29,5
température (°C)

CARACTÉRISTIQUES	FRÉQUENCE PAR NAISSANCE EN EUROPE	CYTO-GÉNÉTIQUE	GONADES	ANOMALIES GÉNÉTIQUES
mâle 46, XX	1/20 000	46, XX	testicule avec cellules Sertoli et Leydig sans cellules germinales	SRY transloqué sur le chromosome X dans la majorité des cas
mâle 46, XX avec ambiguïté génitale	1/10 000	46, XX	testicule avec cellules Sertoli et Leydig sans cellules germinales	SRY absent dans la majorité des cas
mâle 46, XX hermaphrodite	1/5 000	46, XX	tissu testiculaire et tissu ovarien	SRY absent dans la majorité des cas
femme 46, XY avec dysgénésie gonadique pure	très rare	46, XY	gonade type ovaire dysgénésique réduite à des bandelettes fibreuses	mutation du gène SRY dans 30% des cas
pseudo-hermaphrodismes masculins :				
-défaut d'action de la testostérone	1/10 000	46, XY mais féminisé	testicule	mutation du récepteur de la testostérone
-défaut d'action de l'AMH	1/40 000	46, XY femme à utérus	testicule	mutation de l'AMH ou de son récepteur
pseudo-hermaphrodismes féminins par trouble hormonal des surrénales	très fréquente dans certaines régions du monde	46, XX masculinisé	ovaire	blocage de la synthèse des hormones surrénaliennes

Principales anomalies génétiques du sexe chez l'Homme

L'étude d'anomalies des détermination et différenciation du sexe a permis d'identifier, en 1990, le gène SRY, déterminant du sexe chez l'Homme. Elle utilise la cytogénétique qui montre des réarrangements tels que des délétions (pertes d'un fragment de chromosome), des duplications ou des translocations (déplacement d'un fragment de chromosome sur un autre chromosome) des régions du génome pouvant abriter des gènes importants pour les phénotypes observés. L'étude de cas familiaux pour une anomalie donnée aide à définir le mode de transmission du caractère étudié et une localisation de ces gènes sur les chromosomes.　　**M. F.**

fécondés, mais le mâle inactive les gènes paternels. La dernière catégorie met en jeu une paire de chromosomes sexuels hétéromorphes, c'est-à-dire des chromosomes dont le contenu génétique diffère d'un sexe à l'autre. Les espèces possédant de tels chromosomes sont dites hétérogamétiques.

L'hétérogamétie est répandue dans des groupes d'eucaryotes aussi éloignés que les insectes, les plantes et les vertébrés. Si chez ces derniers l'hétérogamétie femelle est presque aussi fréquente que l'hétérogamétie mâle, elle est peu représentée chez les invertébrés et très rare chez les plantes à fleurs. Le système le plus courant chez les vertébrés est celui dans lequel le mâle est le sexe hétérogamétique (mâle XY, femelle XX). Il existe cependant un certain nombre d'exemples d'hétérogamétie femelle (femelle ZW, mâle ZZ) chez les oiseaux, les reptiles et les poissons. Dans certaines espèces, comme chez le ver de terre Caenorhabditis elegans, le chromosome Y est absent : les individus XO (n'ayant qu'un chromosome X) sont mâles, alors que les individus XX sont hermaphrodites. Dans ce cas, le mâle reste le sexe hétérogamétique puisqu'il produit deux types de gamètes (avec et sans chromosome sexuel).

Chez l'Homme, la détermination du sexe comprend plusieurs étapes génétiques conduisant une gonade indifférenciée à devenir un testicule ou un ovaire. Cette définition se distingue de celle de la différenciation sexuelle qui englobe les événements permettant, une fois la gonade fonctionnelle, la réalisation d'un phénotype sexuel mâle ou femelle (organes génitaux internes et externes, caractères sexuels secondaires tels que la voix, la pilosité, les seins).

La différenciation des organes sexuels humains est un phénomène complexe que l'on commence seulement à comprendre. Sa mise en place a lieu au début de la vie embryonnaire, six ou sept semaines après la fécondation, et dépend de plusieurs gènes.

Les travaux d'Alfred Jost ont montré, dès 1947, le rôle déterminant du testicule. La castration d'embryons de lapins au stade où la gonade n'est pas encore différenciée permet le développement d'animaux de phénotype femelle. La présence du testicule est indispensable pour la réalisation d'un phénotype mâle. La différenciation sexuelle mâle se réalise sous l'influence de deux hormones, la testostérone et l'hormone anti-müllérienne, produites par le testicule fœtal. En revanche, la présence d'un ovaire ou l'absence de testicule permet l'apparition d'un phénotype féminin.

L'hypothèse d'un facteur déterminant le testicule et permettant d'orienter la gonade dans la voie testiculaire est alors apparue. Le chromosome Y s'est révélé avoir un rôle dominant dans ce processus. L'étude de patients présentant des anomalies de chromosomes sexuels a permis de corréler la présence d'un chromosome Y et celle de tissu testiculaire, indépendamment du nombre de chromosomes X : les individus 46, XY, 47, XXY (trisomie sexuelle) sont des hommes alors que les caryotypes 46, XX, 47, XXX ou 45, X (syndrome de Turner) sont des femmes.

Plusieurs catégories de gènes interviennent au cours de l'organogenèse testiculaire : le ou les gènes de la détermination primaire du sexe, localisés sur le chromosome Y, puis une cascade de gènes impliqués dans l'organogenèse des gonades et dont les plus importants se situent sur Y. On a donc recherché sur Y le facteur codant la détermination du testicule, nommé TDF pour *Testis Determining Factor*.

Il existe des hommes ayant des testicules malgré l'absence du chromosome Y, et des femmes développant des ovaires malgré la présence de Y. En 1984, nous avons démontré avec Jean Weissenbach que des hommes XX possédaient dans leur génome une petite portion du chromosome Y, et qu'une translocation d'une portion de ce dernier sur le chromosome X conduisait à une telle inversion sexuelle. En 1986,

La différenciation des organes génitaux

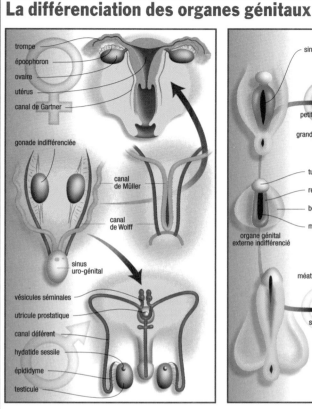

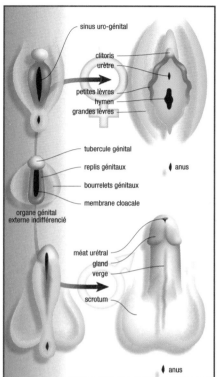

Pendant les premières semaines de vie de l'embryon humain, les organes génitaux internes (à gauche dans les schémas ci-dessus) et externes (à droite) sont indifférenciés entre les individus de caryotypes XX et XY.
Si le phénotype mâle est sélectionné, les gonades se différencient en testicules, à l'intérieur desquels les cellules de Sertoli et de Leydig produisent respectivement l'hormone anti-canal de Müller (AMH) et la testostérone qui stimule la formation du pénis et du scrotum. Les canaux de Wolff forment les vésicules séminales, le canal déférent et l'épididyme.
Si c'est le phénotype femelle qui est sélectionné, les gonades se transforment en ovaires, le canal de Müller devient la partie supérieure du vagin, l'utérus et les trompes, tandis que, privé de testostérone, le canal de Wolff dégénère. M. F.

la recherche de la fraction minimale du chromosome Y nécessaire au développement d'organes sexuels masculins a permis de localiser la région de détermination testiculaire au niveau de l'extrémité du bras court de Y. Il a été montré par Peter Goodfellow et son équipe qu'il existe dans cette région un fragment d'ADN spécifique de Y conservé chez tous les mammifères testés jusqu'à présent.

Toutes les études réalisées à ce jour montrent que ce gène, nommé

SRY pour *Sex Region of Y,* est bien un déterminant testiculaire. Par exemple, des souris XX chez lesquelles on a implanté SRY ont développé des testicules, ce qui montre que SRY peut transformer des souris femelles XX en mâles. Par ailleurs, les femmes 46, XY portent des mutations du gène SRY. Certaines d'entre elles possèdent des gonades réduites à des reliquats fibreux (dysgénésie gonadique), outre un utérus et des trompes normales (elles peuvent même mettre au monde des enfants normaux par des méthodes de fécondation in vitro et dons d'ovocytes). Ainsi, une simple mutation de SRY est capable

Les autres déterminants génétiques du sexe

Afin d'identifier les gènes intervenant dans la détermination des gonades et qui ne sont pas portés par Y, l'analyse de patients atteints d'inversion sexuelle ou d'ambiguïtés génitales fournit de nombreux renseignements au généticien. Il existe par exemple des individus XY porteurs d'une duplication d'un fragment du bras court de X et présentant une inversion sexuelle (phénotype féminin). Il semble que le gène DAX-1 situé dans cette région, nommée DSS pour Dosage Sensitive Sex reversal, interfère avec le développement des gonades lorsqu'il est présent en deux copies fonctionnelles.

La dysplasie campomyélique (DC) est une maladie génétique se traduisant par des atteintes squelettiques ou auditives et, dans de nombreux cas, une mort en bas âge due à une insuffisance respiratoire. Environ les deux tiers des patients XY atteints de cette maladie présentent un phénotype féminin. Or des mutations ponctuelles dans

GÈNES	ESPÈCES	LOCALISATION	FAMILLE	FONCTION	PHÉNOTYPE DES MUTATIONS
SF1	souris	chromosome 2 (souris)	récepteur nucléaire hormonal	facteur de transcription	agénésie des gonades et des surrénales
WT1	homme	11p13	protéines à doigts de zinc	facteur de transcription	femme XY, dysgénésie gonadique, agénésie des reins et gonades
Wt1	souris	?			
SRY	homme	Xp	protéines à High Mobility Group	facteur de transcription répresseur ?	femme XY, dysgénésie gonadique
Sry	souris	Xp			
SRVX DSS DAX-1 ?	homme	Xp21	récepteur hormonal nucléaire	facteur de transcription	inversion de sexe, ambiguïtés génitales
SOX9	homme	17q24	famille de SRY protéines à HMG	facteur de transcription	inversion de sexe, dysplasie campomyélique
Sox9	souris				
?	homme	chromosome 8, 9, 10...	?	?	inversion de sexe, ambiguïtés génitales, pseudo-hermaphrodisme

le gène SOX9 ont été identifiées chez certains patients atteints de DC et d'inversion sexuelle, confirmant le rôle de ce gène dans le déterminisme du sexe. Il semble par ailleurs que le gène WT1 soit indispensable au développement rénal et gonadique, son déficit étant responsable de dysgénésie gonadique ou de pseudo-hermaphrodisme (inadéquation

entre le sexe gonadique et les caractères sexuels secondaires) et d'une grande susceptibilité à l'apparition de tumeurs rénales. Chez la souris, une telle absence entraîne, outre des anomalies cardiaques et pulmonaires, une absence de reins et de gonades, tandis que l'absence du gène SF1 entraîne celle des gonades et des glandes surrénales.   M. F.

Anatomie du chromosome Y

Chacun des deux bras du chromosome Y est séparé par le centromère en deux parties, Yp et Yq. A leurs extrémités se trouve la région pseudo-autosomique. Les régions pseudo-autosomiques des chromosomes X et Y constituent une zone à l'intérieur de laquelle un crossing over entraîne un échange de matériel homologue. En principe, la recombinaison se confine à cette région. On appelle frontière pseudo-autosomique la barrière au-delà de laquelle, dans les cas normaux, cet échange ne se produit pas. Dans le cas contraire, l'échange de matériel entre X et Y peut conduire à des inversions de sexe, notamment si le crossing over se poursuit au-delà du TDF. Dans la partie 1 de Yp se trouve la région minimale (de 35 kilobases environ) conférant chez l'homme le phénotype mâle et à l'intérieur de laquelle se situe le gène SRY. Ce dernier fait partie d'une famille de gènes « SOX » (pour SRY box) qui possèdent une séquence d'ADN codant pour des protéines de type HMG (Groupe de haute mobilité). Ces protéines, qui lient ou courbent l'ADN, sont des molécules jouant un rôle régulateur sur l'expression d'autres gènes. M. F.

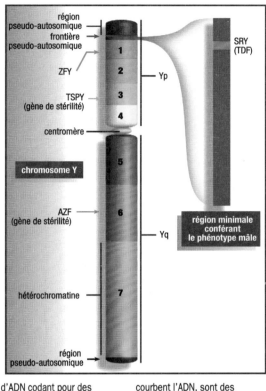

de transformer un homme normal 46, XY en une femme stérile 46, XY.

Cependant, si le gène SRY a enfin été isolé, une question d'importance doit être posée : la différence entre ce qui fait qu'un embryon va devenir un homme ou une femme n'est-elle due qu'au seul gène SRY ? L'étude des hommes XX et des femmes XY permet aujourd'hui de conclure qu'il n'existe pas qu'un seul gène du sexe, mais au moins deux ou trois autres gènes dénommés TDA et TDX (pour *Testis Determining Autosomal* ou X). En effet, un certain nombre d'hommes 46, XX ne portent pas de SRY. Inversement, un certain nombre de femmes 46, XY portent un gène SRY tout à fait normal. Il faut donc imaginer une mutation dans d'autres gènes qui, cette fois, ne seraient pas portés par Y, mais par des autosomes (chromosomes non sexuels) ou par X.

Il faut cependant ajouter à ces gènes ceux qui sont impliqués dans la différenciation des gonades. Les pathologies de la différenciation sexuelle sont dues à un dysfonctionnement de la gonade formée, contrairement aux pathologies de la détermination sexuelle qui sont causées par un défaut de formation de la gonade. L'hormone anti-müllérienne (AMH) est une glycoprotéine responsable, chez le mâle, de la régression des canaux de Müller qui sont les ébauches embryonnaires de l'utérus, des trompes et de la partie supérieure du vagin. Des mutations dans le gène de l'AMH ont été détectées chez des patients présentant un syndrome de persistance des canaux de Müller. Bien que pourvus d'un utérus, de trompes et d'un vagin,

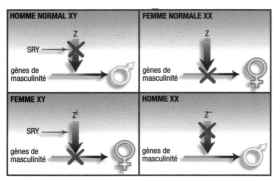

Le modèle Z
Chez l'Homme, le gène Z inhiberait l'action de gènes de masculinité, et le gène SRY inhiberait l'action de Z. Si Z possède une mutation (Z^i) le rendant insensible à SRY chez un individu XY, celui-ci devient une femme. Si Z est absent (Z^-) chez un individu XX, ce dernier devient un homme.

ces hommes ont un développement génital masculin externe normal. Par ailleurs, les syndromes d'insensibilité aux androgènes (testostérone ou dérivés) résultent d'une anomalie de l'action de ces derniers dans leurs cellules cibles. Des sujets de caryotype 46, XY développent alors un phénotype féminin. Le même syndrome a pu être décrit chez la souris, la chèvre, le porc et le cheval, mettant à chaque fois en cause le récepteur des androgènes. Autre exemple : les patients présentant un déficit en 5α-réductase, enzyme dont l'action sur la testostérone assure la masculinisation des organes génitaux externes, naissent avec des organes externes féminins et des organes internes masculins.

Selon le modèle d'Alfred Jost, si le développement de la gonade en testicule est lié à la présence du chromosome Y (et donc de SRY), la gonade ovaire se définit par défaut. Une femme se définirait comme « non homme » et un homme comme « non femme ». Il n'y aurait pas donc pas de gène de féminité.

Le modèle que nous avons proposé est radicalement différent – Eve serait-elle donc venue avant Adam ? : au lieu d'être un activateur, SRY serait un inhibiteur d'inhibiteur. Il annulerait l'action d'un autre gène, actuellement nommé Z, chargé de supprimer l'expression des gènes de la masculinité. Chez une femme normale, Z empêche les gènes mâles de fonctionner. En revanche, quand Z est inactivé par une mutation, les gènes mâles s'expriment. Chez un homme normal, SRY inhibant Z permet l'expression des gènes de masculinité. Ce modèle est compatible avec l'existence d'individus mâles XX sans SRY. Chez les femmes XY, la mutation de Z le rendrait insensible à l'inhibition de SRY mais ne l'empêcherait pas d'exécuter correctement sa tâche : inactiver les gènes mâles. Aujourd'hui, on ignore tout du gène Z. Les scientifiques cherchent la preuve moléculaire qui validera le modèle.

Pour les généticiens, il est difficile de travailler dans l'espèce humaine, du fait de la rareté des malades et du tabou qui entoure de telles pathologies. Il est presque impossible de retracer l'histoire familiale du patient, outil indispensable en génétique. Les scientifiques se tournent alors vers les animaux ayant des pathologies analogues. A l'Inra, des équipes travaillent sur le porc, espèce intéressante, puisqu'environ 1 % des individus, dans certains élevages, présentent naturellement des inversions sexuelles. D'autres chercheurs de l'Inra étudient la chèvre, chez qui il existe également des animaux intersexués, facilement identifiables car la mutation est associée à l'absence de corne. Les résultats obtenus tant chez l'Homme que chez le porc, la chèvre et la souris, ont permis d'identifier d'autres gènes. On cherche maintenant à savoir comment ils interagissent avec SRY.

Les avancées récentes dans le domaine de la différenciation sexuelle soulèvent d'autres questions importantes. Par exemple, les mécanismes précis de détermination et différenciation du sexe sont-ils conservés entre la souris et l'Homme, en passant par le kangourou ? Les réponses actuelles semblent négatives, ce qui prouve la complexité des problèmes et la difficulté du choix des modèles animaux. Cependant, ces résultats ne sont pas très surprenants et confirment une évidence : une souris est bien différente d'un homme, ce qui peut conduire à supposer que les gènes du déterminisme du sexe sont des gènes de spéciation. ■

Pour en savoir plus

● *Le point sur le déterminisme du sexe chez les mammifères*, de S. Barbaux, E. Vilain, K. McElreavey et M. Fellous, 11 : pp. 529-536, *Medecine Science*, 1995. ● *Endocrinologie masculine - Progrès en andrologie 6*, de M. A. Drosdowsky, J. Belaisch et A. Vermeulen, Doin, 1996.● *L'hormone anti-müllérienne*, de N. Josso et al., 3 : pp. 444-452, *Medecine Science*, 1987.● *Les péripéties d'une recherche : l'étude de la différenciation sexuelle*, d'Alfred Jost, 7 : pp. 263-275, *Medecine Science*, 1991.● *Reproduction in Mammals and Man*, de C.Thibault, M. C. Levasseur, R.H.F. Hunter, 17-786, Ellipses, 1993.

L'amour chez les primates

Par Bertand L. Deputte,

CHARGÉ DE RECHERCHE AU CNRS, Laboratoire de Primatologie-Biologie évolutive,
STATION BIOLOGIQUE DE PAIMPONT

■

L'attraction sexuelle représente-t-elle la force essentielle de cohésion des groupes de primates non humains ? Contrairement à la vieille thèse du primatologue Solly Zuckerman, selon laquelle « C'est le sexe qui fait la société ! », de récentes études montrent que les relations amicales et parentales jouent un rôle primordial dans l'organisation des sociétés de singes.

C hez les primates, la rencontre entre les deux sexes ne pose en général aucun problème puisqu'ils vivent le plus souvent en groupes, où mâles et femelles se côtoient.

Cependant la sexualité s'exprime au sein de structures sociales variées dont la pérennité impose des contraintes à cette expression. Ces structures varient selon les espèces et correspondent au nombre d'individus adultes des deux sexes. Elles incluent ce que l'on appelle les « systèmes d'accouplements » qui définissent plus précisément comment les couples se forment et combien de temps ils durent.

De rares espèces, comme les gibbons et certains singes d'Amérique du Sud, ont adopté la monogamie : un mâle et une femelle, après s'être choisis sur des critères qui nous sont encore inconnus, vivent en couple toute leur vie avec leurs descendants jusqu'à la maturité sexuelle de ces derniers. Les orangs-outans constituent un cas original chez les primates : les mâles adultes solitaires ne rencontrent brièvement les femelles que pour s'accoupler. D'autres espèces pratiquent la polygamie sous la forme de polygynie ou de promiscuité. Dans le premiers cas comme chez les babouins hamadryas, un mâle vit en « harem » avec plusieurs femelles et s'accouple avec elles. Dans le cas de la promiscuité, comme chez les macaques, mâles et femelles s'accouplent avec plusieurs partenaires de l'autre sexe.

X. EICHAKER/BIOS

Accouplement d'Hamadryas. La copulation chez les primates non humains dure en général moins d'une minute. Elle représente cependant une interaction d'une exceptionnelle richesse au cours de laquelle de nombreux signaux olfactifs, tactiles, visuels et acoustiques sont échangés.

Au début des années 30, Solly Zuckerman, anatomiste de la Société Zoologique de Londres et pionnier dans l'étude des primates, avait remarqué, en observant un groupe de babouins hamadryas au Zoo de Londres, qu'ils passaient le plus clair de leur temps à se battre et à copuler. Le chercheur émit alors l'hypothèse que l'attraction sexuelle qui se maintenait sans interruption tout au long de l'année, représentait la force de cohésion sociale essentielle des groupes de primates. Cette suggestion n'a pas résisté longtemps aux faits accumulés chez de nombreuses espèces sur le terrain ou même au laboratoire.

Il a été montré, en effet, que les groupes sociaux maintiennent leur cohésion durant de nombreuses années, alors que la sexualité peut ne s'exprimer essentiellement qu'au cours d'une saison des accouplements dont la durée n'excède en général pas trois mois.

Chez les espèces vivant en groupes multimâles, comme les macaques et les babouins, mâles et femelles entretiennent des relations privilégiées en dehors de la saison des accouplements. Celles-ci peuvent durer pendant plusieurs années sans qu'il y ait nécessairement copulation.

Les groupes de primates ne sont pas des entités figées ; les femelles en

Attractivité, réceptivité et proceptivité

Les femelles ont souvent été considérées comme les partenaires passifs des accouplements. Elles étaient soit attractives, soit réceptives (fécondables), leur état de réceptivité – favorable à une conception – les rendant, au moins en partie, attractives. La réalité qui a fini par s'imposer est radicalement différente. Les femelles ne sont pas seulement réceptives ; elles choisissent et invitent. Le physiologiste américain Franck Beach, en 1976, introduit le terme de « proceptivité » qui recouvre tous les comportements qu'une femelle manifeste activement pour s'accoupler avec un mâle. Cette proceptivité s'oppose à la simple réceptivité, où la femelle ne fait qu'accepter les incitations d'un mâle. Elle s'observe sous ses formes les plus intenses durant les quelques jours qui encadrent l'ovulation. C'est chez les orangs-outans et les capucins (Cebus apella) que l'on rencontre les formes les plus élaborées de proceptivité. Charles Janson, de l'université d'Etat de New York, a montré en 1984 que chez les capucins, la femelle, au moment de l'œstrus, devient extrêmement sensible à des stimuli acoustiques auxquels les autres continuent à ne pas prêter attention. Elle produit une mimique faciale singulière : élévation des sourcils, rétraction du scalp et de la commissure des lèvres. Elle émet alors de manière répétée une vocalisation particulière ayant la sonorité d'un sifflement doux et prolongé. Il peut évoluer vers un cri aigu trillé et puissant, émis parfois sans interruption pendant plus de trois heures. Elle s'approche du mâle dominant du groupe et le suit à distance, ce qu'elle n'osait faire auparavant. Elle peut le toucher, lui pousser l'arrière-train et aller jusqu'à lui mordre la queue. Le mâle, quant à lui, montre peu d'intérêt, voire une légère intolérance, à l'égard de ces manifestations. Après l'œstrus, le comportement de la femelle change aussi abruptement qu'il est apparu. Chez les orangs-outans, la proceptivité est l'apanage des femelles subadultes, comme l'a décrit Biruté Galdikas, en 1985. Elle se traduit par l'établissement d'une proximité avec un mâle adulte, du toilettage social, des manipulations du pénis, des fellations, des attouchements sur l'ensemble du corps du mâle et le balancement de la vulve au-dessus de son visage. Toutefois les mâles adultes préfèrent les femelles adultes. B. D.

L'influence des hormones sexuelles

Le comportement des primates non humains est-il émancipé de l'influence des hormones sexuelles ou les accouplements n'ont-ils qu'une fonction de reproduction ? La réponse est en fait non aux deux questions. Chez de nombreuses espèces de simiens, les accouplements s'observent tout au long de l'année, et ce, quelle que soit la phase du cycle œstrien de la femelle, y compris au cours de la gestation. Toutefois la majorité des accouplements se concentre dans la période de réceptivité maximale de la femelle, là où sa proceptivité est la plus intense. L'influence des hormones sexuelles se manifeste souvent chez les femelles par une variation anatomique de la région péri-anogénitale. Cette modification va d'une simple rougeur au développement d'une « peau sexuelle », large intumescence souvent rouge vif et luisante. Ces modifications constituent autant de signaux visuels de l'état de réceptivité des femelles. Chez les singes-écureuils, Sue Boinski, de l'université de Foride, a montré en 1992 qu'à la saison des accouplements, le poids des mâles croît temporairement de près de 25 %, avec notamment les testicules qui doublent de volume. Les mâles, en particulier les plus gros, deviennent alors l'objet de convoitise sexuelle. Chez beaucoup d'espèces, les mâles adultes, et notamment ceux d'un rang élevé dans la hiérarchie sociale, ne copulent qu'au moment de l'œstrus, les autres adultes et les subadultes ne copulant qu'aux périodes de moindre réceptivité. Chez les bonobos, au contraire des chimpanzés communs, la plupart des accouplements ont lieu en dehors de la période d'intumescence maximale de la peau sexuelle des femelles. Toutefois, comme le souligne Takeshi Furuichi, de l'université de Kyoto, chez les bonobos, la fermeté de la peau sexuelle est un meilleur indicateur de réceptivité que la taille. De fait, la grande majorité des copulations a lieu lorsque la peau sexuelle est à son maximum de fermeté.

B. D.

constituent le plus souvent le « noyau permanent » organisé éventuellement autour des lignées matriarcales. Les mâles, vers leur puberté, quittent leur groupe natal et passent le reste de leur vie à émigrer et à immigrer. Leur immigration dans de nouveaux groupes est favorisée par le comportement des femelles résidentes. Dans les « harems » de langurs, singes colobes asiatiques, sur des périodes plus ou moins longues, un seul mâle s'accouple avec les femelles du groupe. A la périphérie, il existe des groupes composés uniquement de mâles ; périodiquement ces célibataires envahissent les groupes unimâles. Le mâle reproducteur est alors remplacé par un autre. Pendant cette invasion, les femelles sexuellement réceptives, c'est-à-dire fécondables, s'accouplent avec les « envahisseurs ». Le primatologue suisse Hans Kummer a décrit, chez les babouins hamadryas d'Ethiopie, le processus de formation d'un « harem » : c'est un processus de longue haleine où les jeunes mâles adultes qui rodent à la périphérie des « harems » constitués cherchent, par le jeu, à établir un lien privilégié avec de très jeunes femelles, filles des femelles du « harem ». Les allées et venues des jeunes femelles, contrairement à celles des femelles adultes, ne sont pas « contrôlées » par le mâle. Ces permissions de sortie permettent aux jeunes mâles d'acquérir la « possession » d'une, puis de plusieurs d'entre elles, en développant progressivement à leurs égards des comportements de « renserrement » (*herding*) : ceux-ci consistent à maintenir une femelle dans un certain rayon autour de soi ; si la femelle dépasse cette limite, le mâle fond sur elle, la pince au cou avec les dents et revient vers l'emplacement d'où il venait, suivi de la femelle. Dès l'âge de un an, de jeunes femelles apprennent ainsi à suivre le futur « possesseur » d'un harem. Les babouins hamadryas se distinguent donc des autres espèces par bien des critères : d'une part, les mâles choisissent leurs partenaires sexuels à un très jeune âge, plusieurs années avant qu'elles n'atteignent leur maturité sexuelle (qui intervient environ à quatre ans). Il est clair qu'initialement la femelle ne choisit pas un partenaire sexuel, mais un partenaire de jeu. D'autre part, contrairement à beaucoup d'espèces, l'établissement d'une relation amicale précoce n'a pas d'influence inhibitrice sur le développement ultérieur d'une relation sexuelle. On peut penser que le comportement de « renserrement » est, chez cette espèce, une nécessité pour la pérennité de cette stratégie de reproduction et de ce système d'accouplement.

Dans les groupes multimâles, le choix des partenaires sexuels relève de la promiscuité. Les macaques japonais, par exemple, vivent en groupe de quarante à soixante adultes des deux sexes, dont dix mâles environ. Linda Wolfe, de l'université de la Caroline de l'Est, a étudié en 1986, au Texas, une troupe de macaques japonais capturée dans la banlieue de Kyoto. Elle a déterminé que chaque femelle s'accouple avec environ trois mâles différents, et les mâles avec deux ou trois femelles différentes.

Les chimpanzés communs vivent en « communautés » composées d'un nombre important d'individus des deux sexes et de tous âges, dans lesquelles les liens les plus forts existent entre les mères et leur progéniture et, à un moindre degré, entre les mâles.

Les chimpanzés ont longtemps eu la réputation de pratiquer la promiscuité sexuelle. Des

La sexualisation du

Etre physiquement mâle ou femelle est d'origine génétique, mais se comporter sexuellement, comme un mâle ou comme une femelle, dépend non seulement de cette influence génétique, par l'intermédiaire des hormones sexuelles, mais aussi des apprentissages réalisés au cours d'un lent développement (4 ans pour les femelles macaques et babouins, 6 à 7 ans pour les mâles). Globalement les comportements sociaux manifestés par les primates adultes mâles et femelles ne diffèrent que par leur fréquence d'expression : le « toilettage social » – ou « épouillage » – est beaucoup plus fréquent chez les femelles que chez les mâles. Les montes sont l'apanage, mais pas l'exclusivité, des mâles. Au cours de leur développement, les jeunes mâles préfèrent les jeux de luttes et les affrontements, les jeunes femelles, les jeux de fuites et de poursuites. Les jeunes mâles préfèrent interagir avec d'autres mâles, tandis que les jeunes femelles recherchent souvent la proximité des femelles adultes. Des différences s'expriment aussi en ce qui concerne le développement de la sexualité. Seules les recherches expérimentales permettent de déterminer l'importance relative des deux ensembles de facteurs : sociaux et génétiques-hormonaux. Robert W. Goy et ses collaborateurs, au Regional Primate Research Center de l'Université de Wisconsin, à Madison, aux Etats-Unis, ont consacré de nombreuses recherches à ce problème. L'approche expérimentale consiste à manipuler

comportement social

l'environnement hormonal du fœtus soit en « masculinisant » les fœtus femelles notamment par injection d'androgènes, les hormones mâles telles que la testostérone, soit en « féminisant » les fœtus mâles par blocage précoce de l'action de ces androgènes (par voie chimique ou par castration *in utero*). En collaboration avec Robert W. Goy, j'ai pu montrer que de jeunes mâles macaques rhésus féminisés *in utero* par un anti-androgène, l'acétate de cyprotérone, jouent moins et montrent moins de comportements agressifs que de jeunes mâles macaques sans contrôle. Toutefois ils réalisent autant de montes sur des partenaires des deux sexes. D'autres études ont montré que de jeunes femelles macaques rhésus traitées *in utero* par la testostérone, manifestent des « montes » et des comportements de jeu caractéristiques des mâles normaux, et avec une fréquence identique. Seul l'environnement hormonal prénatal a une influence sur l'expression postnatale du comportement de monte : des femelles rhésus, exposées à la testostérone (hormone mâle) pendant leur développement *in utero*, initient plus de montes que des femelles normales ou que des mâles castrés, mais moins que des mâles normaux. Le terme de « socio-sexualité » traduit aussi le fait que le comportement sexuel des primates ne peut se développer que dans un contexte social, comme en témoignent d'autres expériences menées à l'Université de Wisconsin. Kim Wallen et al., en 1977, ont effectué des expériences d'isolement social où des jeunes mâles rhésus étaient séparés de

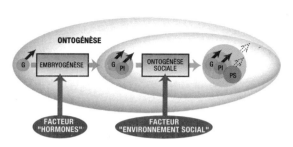

leur mère à 3 mois et placés en cage individuelle. Tous les jours au cours de la première année, ils étaient placés ensemble 30 minutes par jour. Ils ont présenté des comportements de « monte » qualitativement très différents de ceux, normaux, que présentaient des jeunes mâles élevés au sein de groupes sociaux. David Goldfoot et al., travaillant avec Robert Goy, ont montré en 1984 que lorsque de jeunes rhésus sont élevés avec uniquement des jeunes de même sexe, une « complémentarité sexuelle » apparaissait : les jeunes femelles effectuent plus de montes que les femelles élevées avec des mâles et les mâles plus de « présentations » que les mâles élevés avec des femelles (la « présentation » est l'adoption d'une posture quadrupède immobile, l'arrière-train tourné vers le partenaire). Goldfoot en conclut que deux comportements sous la dépendance de mêmes conditions hormonales, ne sont pas nécessairement influencés de la même manière par des environnements sociaux différents. Ce sont donc les influences conjointes d'un environnement hormonal prénatal et d'un environnement social postnatal adéquat qui permettent, à travers les interactions sociales, le développement d'un comportement sexuel adapté à la

Influence des facteurs hormonaux et sociaux sur la « sexualisation » du phénotype social.
La recherche de l'origine des différences comportementales liées au sexe conduit à éliminer ou contrôler la variable « Gène » (G) ou la variable épigénétique « Environnement ». Cela implique soit de manipuler l'environnement hormonal du fœtus, afin de modifier l'influence génétique et éventuellement le phénotype individuel (PI), soit de contrôler la composition du milieu social, afin d'en analyser les effets sur le développement du phénotype social (PS) ; ce dernier, essentiellement comportemental, est constitué des capacités et des « attributs » sociaux qui viennent s'ajouter au phénotype individuel, essentiellement morphologique.

fonction de reproduction et un comportement social adapté aux rôles différents que les adultes jouent au sein du groupe (protection chez les mâles ; soins aux jeunes et maintien de la cohésion sociale chez les femelles).   B. D.

travaux de terrain plus récents ont montré qu'il fallait nuancer cette conception. En 1981, Caroline Tutin et Patrick McGinnis, travaillant en Tanzanie pour le Stream Research Centre, ont mis en évidence trois types de relations sexuelles : les « opportunistes », celles « de fréquenta-tion », et les « possessives ». Dans une relation de « fréquentation », un mâle et une femelle restent à proximité l'un de l'autre, à l'écart des autres membres de la communauté pendant un ou plusieurs jours. Dans une relation « possessive », un mâle empêche, en plus, les autres mâles de s'accoupler avec la femelle qu'il a choisie. Ces deux derniers types de re-lations induisent une forte compétition mâle-mâle, inexistante par ailleurs. Dans 73 % des cas, les accouplements relèvent de la catégorie « opportuniste », et sont principalement le fait des mâles subadultes. La majorité des accouplements qui conduisent à une conception relèvent des deux autres types, en particulier des relations de « fréquentation », et in-téressent mâles et femelles adultes.

La structure sociale des chimpanzés pygmées, appelés aussi bonobos, diffère de celle des chimpanzés communs. D'après Suehisa Kuroda, de l'Université de Kyoto, et l'Américaine Frances White qui les ont étudiés au Zaïre en 1978 et 1988 respectivement, ils vivent en petits groupes bisexués cohérents et permanents, d'une vingtaine d'individus de tous âges, com-prenant plus de femelles que de mâles adultes. La promiscuité est ici la règle, tous les accouplements étant de type opportuniste. Toutefois, ils sont précédés de comportements d'invitation de la part des femelles ou des mâles. La socialité originale des orangs-outans pose des contraintes particulières à leur sexualité. Elle a été décrite par l'anthropologue ca-nadienne Biruté Galdikas, qui a réalisé ses travaux à Bornéo en 1985. Les mâles adultes sont qualifiés d'« asociaux » : intolérants vis-à-vis des autres mâles adultes, ils ne s'associent avec des femelles adultes que lors-qu'elles sont sexuellement réceptives. Les mâles mènent une vie erratique. Leur présence dans la forêt est facilement décelable du fait de leur taille et de leurs cris longs et puissants. Les femelles peuvent les localiser aisément, et ce sont donc elles qui choisissent leur partenaire et initient des relations de « fréquentation » dont la durée peut atteindre trois jours, au cours desquels plusieurs copulations peuvent avoir lieu. La vie des mâles sub-adultes est plus sociale que celle des mâles adultes. Ils ont davantage d'interactions avec d'autres mâles sub-adultes ou avec des fe-melles. Mais sexuellement, ils ne réussissent pas à établir de relations de « fréquentation », et s'accouplent souvent de force quand les femelles ne sont pas consentantes. Les femelles adultes sont les plus actives à éviter ces accouplements, les femelles sub-adultes, elles, ne résistent que fai-blement. Biruté Galdikas a ainsi résumé la vie sociale et sexuelle des mâles orangs-outans par deux formules : les adultes « fréquentent-et-combattent », les sub-adultes « font le guet -et-violent ».

Une particularité de la socialité et de la sexualité des tamarins, petits singes d'Amérique du Sud, décrite par Charles Snowdon et Pekka Soini, de l'Université du Wisconsin, en 1988, mérite qu'on la mentionne : les tamarins pinchés pratiquent la monogamie, mais à la différence des gibbons, les descendants peuvent rester avec leurs parents au-delà de leur maturité sexuelle, formant ainsi ce qui a été appelé une « famille élargie ». Au sein de celle-ci, les filles aident la mère dans les soins aux jeunes. Cette tolérance sociale entre la mère et ses filles s'accompagne d'une inhibition de la sexualité chez ces dernières. Cette inhibition est réversible : placées avec un mâle étranger, en dehors de la présence de leur mère, les fonctions reproductrices des filles se trouvent rétablies.

Quelles que soient les espèces et quel que soit le système d'accouplement, il a été montré que les mâles et les femelles montrent des préférences dans le choix de leur partenaire sexuel. La nature de ce choix préférentiel reste obscure. L'origine de ces préférences pourrait être une conséquence des expériences sociales vécues par les primates au cours de leur longue socialisation et/ou de dispositions sociales particulières. Caroline Tutin et Patrick McGinnis, en 1981, ont pu montrer chez les chimpanzés de la réserve de Gombe en Tanzanie, que les femelles préféraient les mâles qui se montraient les plus attentionnés à leur égard lorsqu'elles étaient en œstrus, c'est-à-dire les mâles qui les « épouillaient » le plus et qui acceptaient le plus fréquemment de partager la nourriture.

Sexualité et agression ne constituent pas, comme le proposait Zuckerman, le fondement des sociétés de primates. Les comportements agressifs participent à leur organisation, mais celle-ci est essentiellement fondée sur des relations d'attraction mutuelle où familiarité et parenté peuvent jouer un rôle. La sexualité est un élément important de la vie sociale. Liée à la reproduction, elle est à l'origine de la dynamique de cette vie sociale et de l'accroissement de la taille des groupes en produisant de nouveaux sujets, de nouvelles potentialités d'adaptation et de transmission d'acquis. Mais au-delà de la fonction reproductrice, elle constitue un élément significatif des interactions sociales dans lesquelles attouchements et flairages renforcent les relations amicales et certains indices de reconnaissance individuelle. ■

Pour en savoir plus
● *La frontière des sexes*, sous la direction de A. Ducros et M. Panoff, PUF, 1995. ● *Primates*, Bertrand L. Deputte, in Encyclopedia Universalis, 1989. ● *Primates : recherches actuelles*, J.J. Roeder et J.R. Anderson, Masson, 1990. ● *Primate paradigms : Sex Roles and Bonds*, Linda Fedigan, Eden Press, Montréal, 1982.

Sexualité et société

par Maurice Godelier,

océaniste, directeur d'études en anthropologie
à l'Ecole des Hautes Etudes en Sciences Sociales, à Paris

■

Si la sexualité relève de la sphère individuelle, elle est également
subordonnée à l'ordre social. Avec qui est-on autorisé à s'unir ?
Quel est le nombre de partenaires toléré(e)s ? Selon Maurice Godelier,
cette gestion de la sexualité est à l'origine de la société humaine.

D ans toutes les sociétés, la sexualité est mise au service du fonctionnement de multiples réalités, économiques, politiques, etc., qui n'ont rien à voir, directement, avec les sexes et la reproduction sexuée. La sexualité sous toutes ses formes est subordonnée à un ordre social.

Divers mécanismes impriment dans la subjectivité intime de chacun(e), dans son corps, les rapports qui organisent sa société. C'est en premier lieu dans les rapports de parenté qu'agissent ces mécanismes. C'est là que s'exerce, dès la naissance, directement, un contrôle social de la sexualité des individus. Rappelons que la parenté ne se réduit pas à la « famille ». Un système de parenté est un ensemble de règles qui définissent à qui appartiendront les enfants qui naissent d'une union légitime, et avec qui il est possible ou non de contracter une telle union. Un système de parenté combine donc des principes de descendance et des règles d'alliance, et ces principes entraînent des représentations très différentes du corps et du rôle que l'on prête à chacun des sexes dans le processus qui donne naissance à un enfant.

Pour donner un exemple de l'existence d'une correspondance entre principes d'organisation sociale et représentations de la sexualité et du corps, nous choisirons une société matrilinéaire, celle des habi-

Le tabou du sexe

Les primates ne couvrent pas leurs organes génitaux et semblent ignorer les comportements dits de pudeur. A l'inverse, toutes les populations humaines ont des codes qui définissent des comportements pudiques : pudeur des postures, des gestes, des regards, etc. Ceux-ci sont liés au fait que dans toute société, la sexualité doit être contrôlée socialement et qu'elle constitue une source de conflits potentiels entre les individus et entre les groupes. Beaucoup de populations résidant dans les zones tropicales vivaient, jusque récemment, pratiquement nues. Néanmoins, même si les organes génitaux n'étaient pas cachés, les corps étaient toujours ornés de marques ou de signes (plumes, peintures) qui les décoraient et les distinguaient. En Nouvelle-Guinée, les hommes portaient souvent un étui pénien, qui serrait le gland du pénis mais pas l'ensemble du sexe ni les testicules. Ces étuis indiquaient à quel clan appartenait l'individu. Les aborigènes australiens portaient une cordelette autour des hanches. Les populations qui vivaient nues accordaient une extrême attention à la manière de s'asseoir, de se présenter devant autrui, etc., et donc manifestaient une pudeur du corps, même si le sexe était montré.

M. G.

113

■ *Cicisbéisme, initiations sexuelles, polygamie,*

Tour du monde de la sexualité

PAR PASCAL DIBIE, ETHNOLOGUE

Crow, Amérique du Nord. (**1**) Chez ces Indiens existaient des «berdaches», hommes-femmes caractérisés par leur transvestisme. Ils se mariaient et avaient des relations sexuelles avec des personnes de même sexe mais de genre opposé, leur homosexualité respectant ainsi la logique hétérosexuelle de la société. (*The Crow Indians*, R.H. Lowie, New York, 1935).

Samoa, Polynésie. (**2**) Chez les Samoa, la masturbation était socialement admise et il n'y avait rien d'inconvenant à ce que les enfants se masturbent en public. La défloration d'une jeune fille était faite devant l'ensemble du village par le chef, qui introduisait deux doigts dans sa vulve. (*L'un et l'autre sexe*, M. Mead, Denoël, 1966).

Tahitiens, Polynésie. (3) Toute Tahitienne réputée avoir une grande expérience sexuelle avant de se marier était hautement estimée. Quant à l'homme idéal, il devait pouvoir provoquer plusieurs orgasmes sur une brève durée. (*L'amour dans les mers du Sud*, B. Danielson, Stock, 1957).

Maori, Nouvelle-Zélande. (**4**) Aux yeux des Maori, tous les aspects de la nature étaient sexués. Les organes génitaux de la femme inspiraient la peur et étaient tapu, d'où le mot «tabou». Les lèvres vaginales abritant le «trou destructeur», étaient d'autant plus redoutées que les femmes avaient souvent l'initiative des relations sexuelles. (*La sexualité et sa répression dans les sociétés primitives*, B. Malinowski, Payot 1995).

Vaudou, Haïti. (**5**) Les références aux jeux du sexe sont très présentes dans le vaudou haïtien. Les vaudouisants sont souvent habités par des esprits des morts et se livrent à des facéties qui égayent les cérémonies. Ces spectacles obscènes sont là pour redire que la puissance du sexe, qu'il reste lié à la mort et qu'il ne se pratique pas impunément. (*Le vaudou haïtien*, A. Metraux, Gallimard, 1977).

Eskimo, Groenland. (**6**) Une femme Aléoute peut, outre son mari, avoir un ou plusieurs époux addition-nels, sans compter des relations sexuelles acceptées avec des hommes de passage ; les bonnes manières, chez les Aléoutes, exigeant que les hommes mettent leurs femmes à la disposition de leurs hôtes. (*Mœurs et coutumes des Eskimo*, K. Birket-Smith, Payot, 1955).

Yanomami, Amazonie. (7) Ces Indiens imposent l'échange des filles en respectant l'appartenance aux clans. Dans leur société, les différentes formes de sexualité, même marginales (sodomie, masturbation) ne sont pas réprimées. (*Le cercle des jeux*, J. Lizot, Seuil, 1976).

Bororo, Brésil. (8) Lorsqu'une jeune fille désire se marier, elle se rend dans le baiteman-nageo, la maison des hommes située au centre du village, pour choisir son époux. Elle doit cependant tenir compte des alliances complexes des clans. (*Tristes tropiques*, C. Levi-Strauss, Plon 1955).

lyandrie...

Albanie. (9) La tradition des « vierges déclarées » remonte au personnage semi-mythique de Nora Kelmendi, qui aurait vécu il y a cinq siècles. Lorsqu'une vendetta supprimait tous les hommes d'une famille, une fille renonçait à son sexe pour assumer le rôle de chef de famille comme un homme. (*Tu seras un homme, ma fille*, S. Freedman, Londres 1996).

Nyinba, Tibet. (12) Dans ce groupe ethnique existe une polyandrie fraternelle. Tous les hommes se regardent comme maris de leur femme commune, et tous veulent avoir des enfants par elle. Dans un tel système, la paternité est distinctive, afin d'établir la place de l'enfant dans la société ainsi que ses droits à la propriété. (*Women with many husbands*, N.E. Levin, 1980).

Limbu, Népal. (13) Chez les Limbu se pratique le mariage par « enlèvement ». Ce type de mariage permet aux adolescents de s'émanciper, mais il met l'autorité paternelle et la famille en danger. Considéré comme une institution, il est généralement arbitré par un tiers qui permet de régler des litiges éventuels entre les clans. (*Les Limbu du Népal*, P. Sagant, PUF, 1910)

Muria, Inde. (14) Les Muria sont connus pour leurs ghotuls, dortoirs mixtes où les enfants s'initient à la sexualité. La jouissance étant un droit pour la femme et un devoir pour l'homme, ce sont les « grandes filles » qui initient les jeunes garçons. Ce système permet de pallier les difficultés des mariages imposés. (*Maisons des jeunes chez les Muria*, V. Elwin, Gallimard, 1978).

Bénin. (10) Dans l'ex-Dahomey, les jeunes filles étaient réunies autour d'une tookono, « mère des lèvres du vagin », qui leur étirait les petites lèvres à l'aide d'une pièce de bois. Cette pratique hygiénique visait à aiguiser le désir des hommes. (*Mœurs et sexualité exotiques*, P.Hanry, Buchet Chastel, 1960).

Birom, Niger. (11) Les Birom pratiquent le cicisbéisme, alliance sexuelle légitime entre une femme et un homme qui n'est pas son mari. Il apporte aux femmes une sécurité économique et un rôle médiateur entre les familles. (*L'érotisme africain*, P. Hanry, Payot, 1970).

Sri Lanka. (15) Dans cette île, les mariages sont souvent polygynes, parfois polyandres. Ces mariages non exclusifs permettent de venir à bout des soucis entrelacés de la subsistance, de la sexualité, des symboles emblématiques du mariage et de la famille. (*Polygamy and monogamy in Kandyan Sri Lanka*, S. Kemper, 1980).

Papous, Nouvelle-Guinée. (16) Chez les Papous, les pratiques sexuelles étant considérées comme dangereuses – les hommes craignant que des femmes ne s'emparent de leur semence pour leur jeter un sort – il existe un rituel nuptial où les époux se confient leurs sécrétions génitales. (*La mascarade des sexes*, S. Breton, Calman-Lévy, 1989).

tants des îles Trobriand en Nouvelle-Guinée. Dans une société matrilinéaire, les enfants n'appartiennent pas au clan de leur père mais à celui de leur mère, et l'autorité principale qui s'exerce sur eux est logiquement celle du (des) frère(s) de la mère. Or, aux îles Trobriand, la naissance d'un enfant est expliquée de la façon suivante. On suppose qu'un esprit-enfant, vivant dans un lieu sacré parmi les âmes des ancêtres du clan de la mère, pénètre dans le corps de celle-ci et vient se mélanger avec son sang menstruel. Dès ce moment, l'embryon est conçu. Le mari n'est donc pas censé participer à la conception de ses enfants. Son rôle est autre. Il est d'« ouvrir » la femme, puis, lorsqu'elle est enceinte, de « nourrir » l'embryon avec son sperme en multipliant les rapports sexuels qui ont pour effet de modeler le corps de l'enfant dans le ventre de sa mère. Pour cette raison, explique-t-on aux îles Trobriand, les enfants ressemblent souvent à leur père, alors que leur substance intime n'est pas le produit de son sperme. Cet exemple s'oppose à celui d'une autre société de Nouvelle-Guinée, celle des Baruya, où le système de parenté est patrilinéaire (voir encadré ci-contre).

Les différences anatomiques (organes) et physiologiques (substances) fondées sur le caractère sexué d'un corps, corps de femme ou corps d'homme, sont constamment appelées à témoigner en faveur de l'ordre qui doit régner dans la société. Ce sont les valeurs et les fonctions attribuées à ces différents organes (pénis, vagin) ou à ces différentes substances (lait, sperme, etc.) qui contribuent à légitimer des rapports d'appropriation entre des générations et des rap-

L'interdit de l'inceste est-il universel ?

Beaucoup de sociétés à la fois interdisent l'inceste et expliquent par un inceste originaire la naissance des premiers êtres humains. En Nouvelle-Guinée, les mythes expliquent qu'à l'origine, une femme s'est trouvée enceinte en consommant les fruits d'un arbre phallique et a donné naissance à un garçon. Par la suite, elle a eu des rapports sexuels avec son fils et a accouché d'une fille. Puis le fils et la fille ont copulé, et de cet inceste sont nés les ancêtres de toutes les populations de Nouvelle-Guinée. Depuis lors, l'inceste est interdit entre les hommes. Dans ce mythe, on voit comment l'inceste subvertit l'ordre social et peut le fonder en même temps. Toutes les relations sexuelles que le tabou de l'inceste interdit sont subverties et confondues. Dans la Bible, Eve est le produit de la chair d'Adam et ensuite Adam copule avec sa propre chair. Dans beaucoup de sociétés, l'inceste est permis et il est même revendiqué comme un privilège par des êtres qui se prétendent descendants des dieux et donc situés au-delà des lois humaines. On connaît des exemples d'inceste royal chez les Incas du Pérou, où le frère épousait sa demi-sœur. On a cherché des raisons biologiques à la prohibition de l'inceste en prétextant qu'une telle pratique entraînerait une dégénérescence des familles et de l'espèce humaine. Or l'humanité a pratiqué pendant des millénaires les mariages entre cousins vivant dans la même communauté, sans que ces unions n'entraînent de malformations. Les maladies apparaissant comme des châtiments ne sont donc pas le fruit de relations incestueuses, mais elles se perpétuent plus facilement en cas d'unions rapprochées. M. G.

La symbolique des sécrétions corporelles

La sexualité tient, sur le corps et à l'aide de celui-ci, des discours qui la subordonnent à des rapports sociaux. La différence de perception des substances corporelles (sperme, sang menstruel, lait...) est significative à cet égard, comme le montre l'exemple des Baruya. Pour ce peuple, le sperme de l'homme est considéré comme l'origine directe du fœtus, tandis que l'esprit qui anime son corps provient du monde des ancêtres du mari. Cependant, le sperme du père ne suffit pas à fabriquer complètement un enfant. Celui-ci resterait inachevé si le Soleil n'intervenait pas dans le ventre des femmes enceintes pour modeler l'embryon. Pour les Baruya, le lait maternel est considéré comme la transformation dans le corps de la femme d'une substance corporelle masculine, le sperme. Cette représentation du lait est à l'origine de

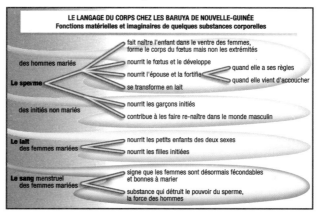

LE LANGAGE DU CORPS CHEZ LES BARUYA DE NOUVELLE-GUINÉE
Fonctions matérielles et imaginaires de quelques substances corporelles

Le sperme
des hommes mariés
- fait naître l'enfant dans le ventre des femmes, forme le corps du fœtus mais non les extrémités
- nourrit le fœtus et le développe
- nourrit l'épouse et la fortifie — quand elle a ses règles
- se transforme en lait — quand elle vient d'accoucher

des initiés non mariés
- nourrit les garçons initiés
- contribue à les faire re-naître dans le monde masculin

Le lait
des femmes mariées
- nourrit les petits enfants des deux sexes
- nourrit les filles initiées

Le sang menstruel
des femmes mariées
- signe que les femmes sont désormais fécondables et bonnes à marier
- substance qui détruit le pouvoir du sperme, la force des hommes

pratiques sexuelles qui viennent la confirmer. En effet, au cours des premières semaines après leur mariage, les jeunes mariés Baruya ne sont pas autorisés à faire l'amour, mais le jeune homme doit donner régulièrement son sperme à boire à la jeune femme.

Chez les Baruya le sperme est source de vie et de force. Cette source masculine de force et de pouvoir circule de génération en génération grâce à l'ingestion par les nouveaux initiés du sperme des aînés vierges et pubères, hors de tout contact féminin, donc de toute source de pollution.

Le sang menstruel témoigne de l'infériorité des femmes, car il détruit la vie et la force du sperme. Dans ces représentations du corps sexué et dans ces pratiques se manifeste clairement la domination masculine qui règne dans la société Baruya. M. G.

ports de domination entre les sexes. Quoi qu'il en soit, partout l'enfant est un enjeu. A travers lui et par lui, ce sont des titres, des terres, des richesses, des fonctions, des statuts, bref des rapports sociaux qui n'ont rien à voir avec la parenté, qui passent en lui à travers ses liens avec ses parents. Ce sont les fils par exemple qui vont hériter de la terre et pas les filles. Ainsi, dans toute société, du social devient de la parenté et, comme tout ce qui est parenté concerne les individus de façon distincte selon leur sexe, devient du sexuel.

D'autre part, la subordination de la sexualité à la société fut peut-être la condition même de la production de la société humaine dans ce qui la différencie de toutes les autres sociétés de primates. En effet, l'émergence de la société humaine semble liée à la nécessité pour

Le rôle social de la polygamie

La polygamie se présente sous deux formes : la polygynie, c'est-à-dire le mariage d'un homme avec plusieurs femmes, et la polyandrie, qui est le mariage d'une femme avec plusieurs hommes, qu'il s'agisse d'unions successives ou simultanées. La polyandrie est un phénomène rare, localisé particulièrement au nord de l'Inde et dans certaines sociétés d'Amazonie. Elle revêt deux formes : soit une femme épouse plusieurs frères et les enfants appartiennent tous à l'aîné des frères, ou bien à chacun des frères, selon l'ordre des naissances ; soit une femme épouse plusieurs hommes qui ne sont pas apparentés entre eux. Cette dernière forme, très rare, semble avoir par exemple été adoptée en Amazonie lorsqu'une tribu était prête à disparaître et qu'il subsistait beaucoup moins de femmes que d'hommes. Dans la majorité des sociétés humaines, il est légal pour un homme de prendre plusieurs épouses. La polygynie revêt également de multiples formes,

selon par exemple qu'il est permis ou interdit d'épouser deux sœurs ou deux femmes d'un même lignage. Par ailleurs, comme dans beaucoup de sociétés les veuves sont héritées par l'un des frères du défunt, ce frère devient polygame même s'il ne l'était pas encore. Certains droits coutumiers limitent le nombre des épouses légitimes tout en autorisant à prendre d'autres femmes comme concubines (droits musulman, chinois, etc.).

Le nombre des épouses peut varier de deux à plusieurs centaines. Dans l'ancien royaume Bamoun du Cameroun, le roi avait jusqu'à neuf cents épouses, mais il n'entretenait de rapports sexuels qu'avec un petit nombre d'entre elles (une vingtaine). Les autres femmes lui avaient été données par des chefs de lignages ou de clans soumis à son pouvoir et elles étaient redistribuées par lui entre ses vassaux, créant ainsi des liens personnels entre le roi et ses dépendants.

Dans beaucoup de sociétés, la polygamie est signe de richesse et de pouvoir. Avoir beaucoup d'épouses signifie également avoir une main-d'œuvre produisant des richesses. On se trouve devant un dispositif cyclique : beaucoup de richesses procurent des femmes, et beaucoup de femmes procurent des richesses. Mais beaucoup de femmes, cela signifie également beaucoup d'enfants, donc la possibilité pour un lignage ou un clan de peser plus lourdement dans la société. Le problème est alors de pouvoir procurer à ses descendants les moyens matériels de tenir son rang. La polygamie pose partout le problème de l'équilibre entre les générations et entre les sexes. En Australie, à cause de la polygamie des hommes âgés, les hommes jeunes devaient attendre jusqu'à plus de 30 ans pour se marier. En outre, la polygamie pose toujours des problèmes de succession. Qui va succéder au père, est-ce un fils de la première épouse, ou d'une autre ? M. G.

les humains de sacrifier quelque chose de leur sexualité.

De nombreuses tentatives théoriques ont été faites pour penser les conditions d'émergence de la société humaine parmi toutes les autres formes de vie sociale des primates.

Les ancêtres lointains de l'homme, on le sait mieux aujourd'hui, vivaient en bandes multi-mâles/multi-femelles, ressemblant à celles des chimpanzés, mais où existaient déjà des unités familiales relativement stables associant les deux sexes dans la production de leurs conditions d'existence et dans l'élevage des enfants. La domestication du feu et la division générale, matérielle et sociale du travail qui s'est développée entre les sexes, ont dû créer les bases de cette stabilité, et ceci au-delà même du domaine des rapports sexuels.

Dans cet univers de coopération entre les sexes, coopération inconnue parmi les autres espèces de primates, quelque chose a dû se passer qui est venu menacer la reproduction de la société. Et, semble-t-il, c'est du côté de l'évolution de la sexualité humaine qu'est venue cette menace. En effet, à une époque qui n'est pas encore datée par les paléontologues et par un processus qui n'est pas encore expliqué par les biologistes, la sexualité humaine s'est radicalement transformée avec la perte de l'œstrus chez la femme. De ce fait, la sexualité ne fut plus soumise saisonnièrement aux rythmes de la nature, comme l'est la sexualité des femelles dans les autres espèces de primates. Certains biologistes suggèrent que la perte de l'œstrus fut peut-être liée au développement du cerveau et à la cérébralisation de toutes les fonctions corporelles. La sexualité humaine, émancipée du contrôle saisonnier de la nature, s'est « généralisée » et a envahi tout le corps des hommes et des femmes. En est résultée la possibilité d'une scission pratiquement complète entre la sexualité-désir et la sexualité-reproduction. L'émergence d'une sexualité généralisée, cérébralisée et polymorphe, a fait surgir une contradiction entre d'une part la nécessité de la coopération entre les sexes (condition de la vie sociale et familiale), et d'autre part les affrontements, les désunions qu'entraînent le désir et la poursuite des satisfactions sexuelles. Cette contradiction objective, menaçait la reproduction de la société en tant que telle, en tant que tout.

Dans cette perspective pourrait s'éclairer le fait que l'humanité est la seule espèce de primates qui ait entrepris de gérer socialement, c'est-à-dire à la fois collectivement et individuellement, sa sexualité. Cette gestion s'est manifestée d'abord par la prohibition de rapports sexuels entre parents et enfants, et entre les enfants eux-mêmes dans les cellules familiales. C'est cette interdiction qui est à l'origine de l'émergence des rapports proprement humains de parenté, car avec la prohibition de l'inceste ne peuvent qu'émerger les deux axes autour desquels vont se développer les rapports de filiation et d'alliance, puisqu'il faut savoir d'où l'on vient pour savoir où l'on va (s'unir, se marier).

Finalement, ces interventions de l'humanité sur elle-même (division du travail et subordination de la sexualité) ont inauguré le processus qui fait que l'homme est la seule espèce qui ne vit pas seulement en société, mais produit de la société pour continuer à vivre. ■

Les figures du sexe

PAR ANDRÉ LANGANEY,
GÉNÉTICIEN AU MUSÉE DE L'HOMME, À PARIS

■

L'ancien commissaire de l'exposition « Histoire naturelle de la sexualité »,
qui comptait plus de 400 spécialistes, a sélectionné ici une dizaine
d'ouvrages couvrant des domaines aussi divers que la biologie,
la psychanalyse ou l'éthologie.

Il serait sans doute plus court de faire une bibliographie des livres sans rapport avec la sexualité – en admettant qu'il en existe – que de faire l'inventaire complet de ceux qui en traitent, directement ou indirectement. Le sexe est partout dans notre culture, qu'il s'agisse de le promouvoir, de l'encadrer ou de le réprimer. Il est presque aussi présent dans le monde du vivant que dans la culture.

Les titres donnés ci-dessous sont donc un échantillon de coups de cœur, aussi diversifiés que possible, et non une bibliographie systématique, didactique ou rationnelle. Ma bibliothèque du sexe est plus un sampling qu'un échantillon. J'y fais figurer des titres littéraires autant que des sciences dures, humaines ou naturelles et du dessin humoristique, le plus pertinent n'étant pas toujours le plus académique. Il est bien évident, par exemple, qu'en matière de comportement sexuel des Français, les dessins du *Sexuellement correct* de Georges Wolinski nous apprennent ou nous rappellent bien des choses que l'on chercherait en vain dans le rapport Spira, dont je souligne pourtant le caractère indispensable, le sérieux et les qualités de contenu et de présentation.

Les limites du nombre de titres cités impliquent que des choix totalement différents seraient aussi recevables. Les dix titres pivots ci-dessous ont été choisis pour décrire ce qu'est la sexualité, ce qu'elle fait dans la nature, la cité et la pensée, comment on s'en sert, comment on pourrait s'en servir et ce qu'il est prudent de ne pas en faire.

Si le sexe est presque partout, il n'est nulle part indispensable. Depuis toujours la vie sait se passer de lui et d'ici peu la société, au prix de quelques bidouillages de biologie cellulaire, pourrait aussi l'éliminer. Sans être susceptible d'en éradiquer les séquelles psychologiques et fantasmatiques. Car le sexe a trouvé deux moyens essentiels de s'incruster dans la nature et dans la société. D'une part il crée, plus que n'importe quoi, de la diversité génétique, qui est le carburant indispensable de la sélection naturelle. D'autre part, il donne du plaisir qui est, avec la douleur, l'un des deux moteurs complémentaires des comportements animaux, au moins chez les vertébrés.

Les potentialités sexuelles de diversification des individus et des comportements sont telles qu'aucune espèce, ni aucune société, ne résisterait à leur libre expression. Ne serait-ce que parce que les enjeux de plaisir et de reproduction sont souvent contradictoires, sinon incompatibles. Dans la nature, la sélection naturelle réduit les effets du sexe sur la diversité au *Jeu des possibles* de François Jacob. Dans les sociétés, la répression du plaisir et sa redistribution parcimonieuse par les puissants est la clef de tous les fascismes. Les variantes actuelles du néolibéralisme n'échappent pas à cette règle.

André Langaney
Le sexe et l'innovation
Points-Seuil, 1987

Il est totalement immodeste de commencer cette bibliographie par mon bouquin de revue de la question. J'ai un alibi : c'est qu'en fait, ces deux cents pages sont un condensé de l'immense documentation que j'avais faite autrefois avec Geneviève Meurgues en préparant l'exposition « Histoire naturelle de la sexualité », présentée par le Muséum au Jardin des Plantes de Paris. Nous avions eu le privilège rare de travailler avec plus de quatre cents chercheurs de quarante laboratoires, du Muséum et d'ailleurs, et de faire plus de seize mois de bibliographie sur le sujet. Que tous ceux qui nous ont aidés, et Geneviève elle-même, soient ici remerciés pour nous avoir permis de rassembler tant de faits extraordinaires et jusque-là épars, sinon enterrés dans le secret des laboratoires ou des bibliothèques spécialisées.

Le livre en question est divisé en quatre parties. La première, un peu austère et non indispensable pour la suite, résume les conséquences biologiques du sexe, bref la génétique et ses effets sur la biodiversité. La deuxième raconte la diversité des comportements sexuels animaux, rapportée par des spécialistes. Chez les mille-pattes ou certaines punaises, c'est franchement délirant et, qui plus est, on trouve une extraordinaire logique évolutive restituée par tous ces exemples. Cette logique est reprise dans la partie suivante où l'on s'aperçoit qu'elle n'a pas grand-chose à voir avec l'ultra-darwinisme des sociobiologistes.

La dernière partie, auto-proclamée très spéculative, est une tentative d'application aux sociétés humaines des leçons de la troisième partie et de l'éthologie animale. Je me suis bien marré en l'écrivant, mon patron de l'époque beaucoup moins, et je m'y suis fait peu d'excellents amis et beaucoup d'ennemis définitifs dans le monde des sciences bavardes. Le plus drôle, c'est qu'on y a pêché un certain nombre de sujets du bac ou du concours général alors que beaucoup de profs ne recommandaient pas !e bouquin parce qu'il y avait du sexe dans le titre.

Puisque je suis dans mes productions, je rappelle sur le sujet mes épuisés, *Histoire naturelle de la sexualité* (Nathan, 1977) et *Le sauvage central* (Chabaud, 1991), plein de sexe caché, tué par le naufrage de son éditeur et ré-éditable.

François Jacob
Le jeu des possibles
Fayard, 1981

Ce livre, quoique petit par la taille, est l'un des plus précieux de la biologie actuelle, car il résume et actualise la *Logique du vivant* (Gallimard, 1970) du même auteur, en termes simples accessibles au non-spécialiste. On y découvre que les mutations créent, par l'erreur de copie, la diversité du vivant, mais surtout que le sexe la multiplie à l'infini, « bricolant » du nouveau en permanence.

Le monde vivant est, à chaque instant, composé d'une très petite partie des « possibles » théoriques : ceux qui sortent du tri effectué, parmi eux, par la sélection naturelle. Si l'on admet ce mécanisme, presque tautologique, résumant les observations de la biologie moderne, il devient impossible de soutenir rationnellement un quelconque finalisme dans l'histoire de la vie. Les conséquences philosophiques n'en sont pas négligeables et devraient être plus diffusées dans une société qui sombre dans les délires mystiques.

Pour ne pas s'attirer d'ennuis, beaucoup de scientifiques font semblant de ne pas tirer de leçons philosophiques de leur expérience professionnelle. François Jacob lui-même, après avoir montré comment ces mécanismes excluent tout intentionnalité ou projet dans l'histoire de la vie, estime pudiquement que croire en Dieu est une « *affaire de goût* » et non de science (*La Recherche*, spécial « Histoire de la vie », mars 1997).

Personnellement, je crois qu'il est urgent de revenir à l'esprit du siècle des Lumières et de la *Philosophie zoologique* (1809) de Lamarck. Notre représentation du monde et de ce que nous sommes ne devrait pas se laisser bouffer aux mythes et ignorer la clameur de Diderot, citée dans la *Logique du vivant*, selon laquelle il y a, dans un œuf (produit de la sexualité !), de quoi faire s'écrouler toutes les théologies. Et encore, Diderot ne connaissait pas l'ADN...

Claude Nuridsany et Marie Pérennou
Microcosmos, le peuple de l'herbe
Éditions de La Martinière, 1996

Tout le monde parle du film et l'on aurait tendance à oublier le livre. Un livre fabuleux qui montre, avec l'immense talent de ces deux perfectionnistes in-curables, les incroyables résultats du jeu des possibles. Derrière chaque image d'insecte ou de plante, vous devrez imaginer des millions de générations d'essais aléatoires du sexe et de tri féroce de la sélection naturelle. Vous devrez vous émerveiller qu'elles aient pu aboutir à ces images qui forcent l'émotion. L'exercice n'est pas facile, tant il est agréable de se laisser flotter devant la beauté du vivant exposé. Malgré la tentation de céder au seul plaisir voyeur de l'image, il faudra lire le texte, lui aussi sensible et intelligent. Car si Claude et Marie ont eu l'excellente idée de choisir une autre voie que la carrière académique, ils n'ont pas renié pour autant leur formation de biologistes. Leur propos est méticuleusement cadré et vérifié avec la même minutie que les réglages de leurs objectifs. Certains ont cru devoir leur reprocher la perfection de leur photographie, qui donnerait une trop belle image d'une nature souvent laide et cruelle. C'est peut-être oublier que l'observateur fait l'observation autant que ce qui est observé.

On omet trop souvent d'apprendre aux enfants et aux adultes à jouir de la beauté et du sens des plus discrets éléments de notre environnement vivant. Gamin des villes, j'ai passé des centaines d'heures à regarder les mouches sur les fenêtres, plutôt que de les écraser en les traitant de sales bêtes. J'y ai pris beaucoup de plaisir avant de savoir que leurs cousines étaient utiles en génétique. Claude et Marie regardent les herbes et leur micro-monde dans le plus petit détail au lieu de se contenter de les fouler aux pieds. Ils ont déjà publié un *Eloge de l'herbe* (Adam Biro, 1988) qui, bien avant *Microcosmos*, avait donné un égal bonheur à ceux qui avaient eu le privilège de les découvrir.

Alfred Spira, Nathalie Bajos et le groupe ACSF
Les comportements sexuels en France
La Documentation française, 1993

Alors que plein de raisons épidémiologiques, médicales ou éducatives auraient dû imposer ce type d'enquête depuis longtemps, il aura fallu les urgences et les inconnues liées au sida et les annonces de fin du monde de ceux qui en vendent pour que l'on se décide à faire cette enquête austère, rigoureuse et dont de nombreuses données restent à exploiter ou interpréter. Avant, on n'avait guère que le méritoire mais limité rapport Simon pour évaluer les performances dont les Français parlent le plus, mais auxquelles des sciences bien prudes s'intéressaient le moins. Rétrospectivement, on comprend mieux pourquoi le sida, maladie dramatique pour les patients et coûteuse pour la société, ne s'est pas répandu de la manière apocalyptique que certains annonçaient quelques années plus tôt. L'immense majorité des Français, malgré leurs prétentions à la gauloiserie, ne sont simplement pas « exposés au risque » par leurs comportements habituels. Certes, il ne faut pas se réjouir trop, car ce type d'enquête cerne mal l'activité des très minoritaires sujets à très haut risque ou leurs interactions avec le reste de la population. Les éventuelles interviews téléphoniques de ces sujets sont sans doute aussi les moins fiables, avec des biais considérables par excès ou par défaut, selon les cas.
En dehors du contexte épidémique, le lecteur français moyen sera sans doute rassuré : si il ou elle n'est pas la bombe sexuelle de l'imaginaire national, ses voisins, parents et amis ne valent généralement guère mieux. C'est sans doute un affront pour notre vanité, mais c'est plutôt rassurant en ce qui concerne l'avenir !

Georges Wolinski
Sexuellement correct
Albin Michel, 1996

Georges Wolinski appelle un chat, un chat et dessine une chatte, une chatte. La tradition française permet encore de représenter en dessin ce que les poursuites des intégristes et les foudres d'une justice souvent rétrograde ne permettent pas de montrer sous d'autres formes. Ce genre de libertés étant en général très menacé , autant en profiter au maximum tant qu'elles ont cours. Comme Wolinski a par ailleurs une grande faculté d'observation et d'introspection – ce n'est pas par hasard que son personnage masculin favori lui ressemble étrangement –, vous en apprendrez beaucoup plus sur les états d'âme et le vécu sexuel des Français par les albums de l'auteur que par les publications de sexologues et de démographes qui sont réputés ne pas avoir une expérience personnelle à la mesure de leurs prétentions statistiques.
Wolinski rencontre beaucoup de monde, de milieux très variés, et rend compte de leurs comportements et fantasmes avec une exactitude de traits et de mots qui font rire car chacun y retrouve ce qu'il vit ou ce qu'il voit sans jamais oser en parler. Les psychanalystes accouchent nos discours compliqués et profonds, les humoristes nous font rire de notre simplicité masquée.
Malgré tous les interdits, les fantasmes et les discours que nous mettons autour, la sexualité humaine est affaire d'organes et de comportements d'une extrême banalité, dont la représentation n'intéresse ou ne traumatise que parce qu'elle est interdite par des coutumes d'un autre âge.
Puisqu'on est dans l'illustré, on trouvera une belle analyse de la sémiologie du sexe extrémiste, par Boris Cyrulnik, dans l'album *Charlie Hebdo saute sur Toulon* (Plein Sud). Chez le même éditeur, le merveilleux *Je suis très tolérant*, de Charb, sans oublier, au cœur du sujet, *La vie des bêtes*, de Reiser (Albin Michel, 1985) et *Saison des amours*, de Michel Bridenne (Glénat).

Nadine Grafeille, Mireille Bonierbale et Marie Chevret-Measson
Les cinq sens et l'amour
Robert Laffont, 1983

Ce sont trois professionnelles du sexe, mais pas au sens où on l'entend souvent. Médecins, psychiatres, sexologues cliniques, analystes et thérapeutes, les trois auteurs de ce livre n'en sont pas moins avant tout des femmes dont le vécu individuel, joint aux témoignages de leurs nombreux patients et patientes – souvent vus en thérapie de couple –, humanise singulièrement les indiscutables compétences scientifiques. On est très loin de l'amour normé in vitro de Masters et Johnson ou des extensions génitales de la gymnastique suédoise. Manifestement, Nadine, Mireille et Marie ne se sont pas contentées de lire, d'étudier, d'observer et d'écouter, mais elles ont aussi branché leurs cinq sens et leur imaginaire, conscient et inconscient, pour nous faire bénéficier d'une expérience privée latente mais omniprésente, que l'on imagine riche à travers leur prose pudique. Car s'il est facile de parler objectivement de sexe physique au-delà des censures ordinaires, il est beaucoup plus difficile de raconter la mise en place de l'amour et du désir à travers nos perceptions. En la matière, les recettes de cuisine peuvent certainement conduire à la satisfaction physique standard, mais pas au bonheur de l'esprit. Ces trois dames amoureuses nous expliquent en quoi désir et amour sont des symphonies des sens, des corps et de l'imaginaire, dans lesquelles l'omission de l'une ou l'autre partition conduit vite à l'insatisfaction, au stress, au désaccord et aux conflits qui amènent leurs patients dans leur cabinet.

Philippe Brenot
Les mots du sexe et de la séduction
Le Hameau, 1988

Encore un sexologue clinique, mais aussi anthropologue, féru d'art de tous les continents et d'ethnologie, qui nous promène brillamment à travers le vocabulaire de l'amour et de la sexualité. Il analyse avec bonheur les étymologies et les expressions de tous les jours, proverbes, modes et stéréotypes qui encadrent notre pensée et différencient les cultures et les comportements, d'une société à l'autre, d'une région à l'autre. De son observatoire bordelais et clinique, Philippe Brenot se régale des pièges du langage du sexe, un exercice auquel il s'était déjà livré pour d'autres vocabulaires spécialisés dans d'autres volumes de la même collection.

A un niveau plus théorique, n'omettons pas les classiques de Boris Cyrulnik : *Mémoire de singe et parole d'homme* et *Sous le signe du lien* (Hachette, 1983 et 1989). Dans ce dernier, l'auteur s'est laissé inspirer des considérations douteuses sur une impossible prohibition de l'inceste chez les animaux (il n'y a pas d'interdit sans mots pour le nommer !), ce qui nous valut notre seule mini-polémique, très amicale. Comme il le dit lui même, ce n'est pas grave puisqu'il soutient à peu près l'inverse dans sa préface à l'admirable *Presque humain,* de Shirley Strum (Eschel, 1990). La primatologie phallocrate des babouins des années soixante y est revisitée par une féministe non délirante, au prix d'une expérience de terrain unique. Les mâles dominants, autrefois astres centraux des galaxies babouines, deviennent des parias migrants, qui attendent piteusement à la périphérie de la troupe qu'une femelle leader se laisse séduire et les fasse admettre dans une société fondamentalement matriarcale.

Collectif dirigé par Albert Ducros et Michel Panoff
La frontière des sexes
PUF, 1995

En géographie, les frontières sont, comme les membranes en biologie, des lieux d'échange et de passage. L'idée première de ce volume, et du colloque qui a conduit à son édition, était d'effacer la frontière redoutable qui sépare souvent le biologique du culturel dans les études anthropologiques, alors qu'ils sont indissociables dans la vie quotidienne des populations et des sociétés. Au prix d'une préparation et d'un travail éditorial qu'il faut saluer, ce travers est évité dans ce volume consacré aux diverses approches de la différence sexuelle. Certains articles sont interdisciplinaires, d'autres alternent les diverses approches d'une même question. On est loin des fastidieux comptes-rendus de rencontres scientifiques où l'on n'apprend généralement rien que l'on ne sache déjà. Avec Robert Nadot, on y règle le compte des inepties répandues sur les effets de la consanguinité chez les humains et sur la prétendue prohibition de l'inceste chez les animaux.

Sigmund Freud
Introduction à la psychanalyse
Payot, rééd. 1961

Dans une fin d'adolescence coincée et meurtrie, la rencontre du bon docteur Sigmund m'avait appris qu'il était légitime et utile d'appliquer les méthodes de la science, – observation « objective » et expérimentation – aux seuls sujets importants de mes préoccupations, le sexe et les filles. Analyser méthodiquement rêves, actes manqués, gestes inconscients, comportements réels ou discours délirants et symboliques était, de toute évidence, une voie d'accès à l'organisation plus rationnelle de la vie quotidienne. Et je ne concevais pas de bonheur désirable en dehors de cette raison, eût-elle pour première mission de ménager l'espace d'indispensables moments d'extase ou de délire.

Bien sûr, passées quelques bonnes histoires et anecdotes croustillantes, l'œuvre du bon docteur, de ses disciples et de leurs sectes divergentes est ennuyeuse et soporifique au possible. Justement ! Dans une période où les hormones me rendaient les nuits difficiles, quelques chapitres, quelques pages, quelques lignes parfois, suffisaient à me plonger dans un sommeil réparateur, à la recherche de rêves que je brûlais d'analyser le lendemain matin.

Bien sûr, le docteur Sigmund était très sexiste, imbu de son autorité sociale et pas très rigoureux. Mais ce n'était tout de même pas Lacan ! Le nombre de gens très bien qui se réclament de lui, sans pratiquer le culte absurde que les imbéciles et les sectes spécialisées lui vouent, témoigne de l'importance, dans la pensée contemporaine, de l'œuvre de cet obsédé et de son obsession : le sexe. Ainsi que de l'urgence, pour la bonne santé mentale de chacun, de libérer une parole que les inconscients collectifs et les surmois ne cessent d'occulter. Parler le sexe, c'est aussi guérir notre seul véritable organe sexuel, notre cerveau, qui en a souvent besoin.

Les mots du sexe

PAR MARA GOYET ET PHILIPPE DESCAMPS

■

Cellule diploïde : une cellule diploïde possède une double série de chromosomes provenant d'une part de la mère d'autre part du père. Les cellules reproductives ne le sont pas, elles sont dites haploïdes.

Chromosome : structure formée par une unique molécule d'ADN, visible dans les cellules eucaryotes au moment de la division cellulaire.

Conjugaison : processus par lequel deux organismes unicellulaires échangent du matériel génétique.

Copulation : mode de procréation des espèces animales dont les gamètes ne peuvent survivre hors de l'organisme.

Gamète : cellule germinale des organismes à reproduction sexuée ne contenant qu'un seul chromosome de chaque paire (haploïde) et qui peut s'unir au gamète de sexe opposé mais non se multiplier seul. Au cours de la fécondation les deux gamètes haploïdes constituent ensemble une cellule diploïde qui n'est pas la simple réunion de deux génotypes car deux chromosomes issus des deux gamètes et formant une paire dans la nouvelle cellule ainsi constituée, échangent une partie de leur ADN *(crossing-over)*. Le brassage génétique, facteur de biodiversité, s'effectue ainsi à plusieurs niveaux dans le cadre de la reproduction sexuée.

Hermaphrodisme : caractère des organismes capables de produire des gamètes de sexes opposés. Chez l'homme, pathologie rare dans laquelle les gonades et les organes sexuels d'un même individu sont de sexes opposés.

Hypothalamus et hypophyse : glandes situées dans le cerveau et à l'origine de la fabrication les hormones sexuelles (testostérone et folliculine)

Intumescence : augmentation de volume d'un organe ou d'un tissu. En particulier, équivalent féminin de l'érection.

Méiose ou réduction chromatique : division cellulaire par laquelle les cellules filles (haploïdes) ne conservent que la moitié des chromosomes de la cellule mère (diploïdes), permettant ainsi la formation des gamètes.

Mitose : division des cellules eucaryotes donnant naissance à deux cellules filles identiques génétiquement à la cellule mère.

Mutation : modification de la structure chromosomique induisant une modification du matériel héréditaire. Les mutations sont des erreurs de réplication dans l'ADN, ces accidents constituent la seule possibilité d'évoluer pour les espèces non sexuées.

Pansexualisme : caractère d'une doctrine ou théorie qui tend à réduire tout comportement à une manifestation liée à la sexualité. Le pansexualisme suppose un réaménagement de la notion de sexualité qui ne peut plus dès lors être comprise comme simple modalité de reproduction ou comme rencontre des organes de la reproduction et qui, en définitive se passe aisément du sexe pour s'affirmer. On parle notamment de pansexualisme freudien.

Parthénogénèse : mode de reproduction non-sexuée dans lequel un ovule se développe sans fécondation.

Phéromone : substance chimique émise par un organisme et susceptible d'influencer le comportement ou le développement d'un autre organisme au sein de la même espèce.

Polygamie : mariage d'un homme avec plusieurs femmes (polygynie) ou d'une femme avec plusieurs hommes (polyandrie)

Proceptivité : terme récent désignant l'ensemble des comportements manifestés par une femelle en vue de son accouplement avec un mâle. Contrairement à de nombreuses idées reçues la femelle, notamment chez certains primates, opère un véritable choix et ne se contente pas d'une simple alternative entre réceptivité et répulsion.

Procréation : en insistant sur la singularité et l'originalité de l'individu issu de la rencontre de deux gamètes chacun porteur d'un bagage génétique différent, ce terme souligne le caractère impropre de l'usage du mot reproduction à propos des êtres sexués qui ne se « reproduisent » justement pas mais qui produisent par la sexualité des individus nouveaux, inédits, qui, s'ils ressemblent à leurs parents, ne sont réductibles ni à l'un ni à l'autre, ni à la fusion des deux. L'espèce sexuée n'attend pas ainsi d'accidentelles et très rares mutations génétiques pour avancer dans l'évolution. Autrement dit, pour reprendre une expression d'André Langaney, *« qui fait un œuf fait du neuf »*.

Sexe et genre : la distinction entre ces deux termes n'est pas toujours très claire. On peut néanmoins considérer que le sexe renvoie à une différence biologique entre mâle et femelle, et qu'au contraire le genre se rapporte à une différence sociale et culturelle, pour laquelle on parlera d'une opposition entre masculin et féminin. Il s'agit ici en fait d'une partition entre nature et culture qui explique pour partie la diversité des comportements sexuels humains. L'existence de genre, s'ajoutant à la détermination sexuelle naturelle, est repérable dans tous les types de sociétés. Le transsexualisme, le travestisme, le comportement transgenre tendent à remettre en cause le strict parallèle établi par la culture occidentale moderne entre sexes et genres.

Transgenre : renvoie à l'affirmation de la possibilité de traverser les genres, de se sentir masculin ou féminin, indépendamment du sexe auquel on appartient (ou de celui auquel on se sent appartenir) et de l'orientation sexuelle (homo-, bi- ou hétérosexualité).

Transsexuel : personne qui a changé de sexe ou qui ne se sent pas appartenir au sexe qui est naturellement le sien. Le transsexualisme n'est pas lié à l'orientation sexuelle, et, souvent, les transsexuels se sentent hétérosexuels.

Travesti : personne adoptant – pour se dissimuler, par jeu ou par goût – l'habillement et les attitudes du genre habituellement associé au sexe opposé.

X et Y : chez l'homme, désignation des chromosomes dits « sexuels » ou gonosomes. La présence de deux chromosomes X détermine le sexe génétique femelle, une paire XY au contraire le sexe génétique mâle. On peut être tenté (en regardant simplement différents caryotypes) de définir le type femelle comme résultant de l'absence de chromosome Y dans le spermatozoïde fécondant l'ovule, toujours porteur de X. Mais la différenciation sexuelle résulte non de la simple présence des gènes mais de la possibilité de leur expression et de l'éventualité de leur inhibition, et parler de redondance ou de moindre richesse d'information dans le cas d'une paire XX est erroné voire sexiste. Il est à noter en outre que chez les oiseaux, les reptiles et les poissons, ce sont les femelles qui possèdent deux chromosomes différents.